Distribution:

Pour le Canada:

Les Éditions Flammarion/Socadis
375, avenue Laurier Ouest,
Montréal (Québec) H2V 2K3
Tél.: (514) 277-8807 ou 331-3300

Pour la France:

Dilisco
122, rue Marcel Hartmann
94200 Ivry-sur-Seine
Paris (France)
Tél.: (1) 49 59 50 50

Pour la Belgique:

Vander, s. a.
321, avenue des Volontaires
B-1150 Bruxelles (Belgique)
Tél.: (32-02) 762-9804

Pour la Suisse:

Diffusion Transat s.a.
Route des Jeunes, 4ter
Case postale 1210
CH-1211 Genève 26
Tél.: (022) 342-7740

À la recherche d'un équilibre: une stratégie antistress

Données de catalogage avant publication (Canada)

Langevin Hogue, Lise

À la recherche d'un équilibre: une stratégie antistress
(Collection Motivation et épanouissement personnel)
Comprend des références bibliographiques

ISBN 2-89225-334-9

1. Stress. 2. Gestion du stress. I. Titre. II. Collection.

BF575.S75L26 1998   155.9'042   C97-941627-2

Les éditions Un monde différent ltée, 1998

Dépôts légaux: 1er trimestre 1998
Bibliothèque nationale du Québec
Bibliothèque nationale du Canada
Bibliothèque nationale de France

Conception graphique de la couverture:
SERGE HUDON

Photocomposition et mise en pages:
COMPOSITION MONIKA, QUÉBEC

ISBN: 2-89225-334-9

Lise Langevin Hogue

À la recherche
d'un équilibre:
une stratégie antistress

Les éditions Un monde différent ltée
3925, Grande-Allée
Saint-Hubert (Québec)
Canada J4T 2V8

Note de l'auteure

De façon générale, dans le présent ouvrage, pour éviter d'alourdir le texte, nous nous conformons à la règle qui permet l'utilisation du masculin avec une valeur neutre, et ce, sans aucune discrimination.

Puisse ce volume dédié à Ariane, Frédérique, Geneviève et Charles, leur apprendre très tôt à gérer leur stress.

Chapitre IV: La peur du rejet et le stress 53
L'exigence d'être aimé 53
L'affirmation de soi et l'anxiété 54
Origine de ce concept. 57
L'influence de la culture 57
L'expression des émotions chez l'homme . . 59
Stratégie antistress 60

Chapitre V: La peur de l'échec et le stress 63
La prise de décision 63
L'indécision et ses désavantages 64
Les causes de ce comportement. 65
La ténacité, clé de la réussite. 66
Des défis à notre portée. 67
Le plan d'action 67
Les avantages du plan d'action 70
Les échecs graves 71
Stratégie antistress 72

Chapitre VI: La peur du conflit et le stress. 75
Le conflit et le stress psychologique 75
Dominant-dominé 76
Le conflit patron-employé. 76
La peur de perdre le contrôle de soi 78
Technique pour régler un conflit 78
Les conflits de valeurs 79
Comment faire face à un conflit de valeurs? 80
Le respect de l'autre. 82
Stratégie antistress 83
Test 86

Chapitre VII: «Il faut...», «Je dois...», «J'ai besoin...»:
sources de stress. 89
Les obligations irréalistes 89
Les obligations professionnelles 91
Le perfectionnisme et l'excès de travail 91

Chapitre VIII: Pour combattre le stress: bien gérer son temps 93
Définissez vos objectifs 93
Faites un plan d'action. 95
Établissez vos priorités 97

Déléguez 97
Soyez organisé 100
Refaites le plein, détendez-vous! 101
Le rôle des émotions 101
Stratégie antistress 103

Chapitre IX: La colère et le stress 105
Les idées qui causent la colère 105
L'instinct de conservation lié à l'agressivité. 107
La colère, une émotion naturelle 107
L'iceberg des émotions 108
Les émotions sous-jacentes à l'hostilité. 109
Exprimer sainement sa colère. 110
Les dangers de la colère. 112
L'irritabilité, la colère: symptômes de stress 113

Chapitre X: Faire face à la colère d'autrui. 117
Les attitudes passives relativement à la
colère d'autrui. 117
Répondre à l'hostilité par l'hostilité: «œil
pour œil, dent pour dent»? 118
Désamorcer la colère d'autrui. 119
Affronter la colère d'autrui avec empathie. . 120
Stratégie antistress 122

Chapitre XI: La culpabilité, les sentiments dépressifs et le
stress 127
La culpabilité. 127
L'être humain et ses limites. 127
L'égoïsme de l'être humain. 128
Les conséquences de la culpabilité 129
La culpabilité: une entrave au changement. 129
La culpabilité: voie ouverte aux sentiments
dépressifs. 130
Les sentiments dépressifs et le stress. 130
Influence de l'enfance 131
La valeur d'un être humain 133
Valeur extrinsèque 133
Valeur intrinsèque 134
Stratégie antistress 136

Chapitre XII: Les changements majeurs et le stress   139
La mort d'un être cher   141
Les étapes du deuil.   142
Ceux qui restent   142
L'aspect émotif de la mort d'un proche   143
La culpabilité et les sentiments dépressifs . .   144
L'anxiété.   145
La tristesse   146
Le divorce et la séparation   148
Évolution de la société.   150
La faillite   152

Conclusion.   155

En annexe.   157

Confrontation   157

Test   160

Bibliographie.   163

Introduction

La pluie tambourine sur les carreaux des fenêtres de la chambre encore plongée dans la pénombre. Rompant ce calme matinal, le bruit insolite du timbre d'entrée retentit bruyamment. Tirée de son sommeil, Martine ouvre les yeux et regarde machinalement sa montre: il est huit heures. «*Le réveil n'a pas sonné*», se dit-elle. Elle revêt un peignoir, se dirige vers la porte d'entrée et ouvre à Nicole qui, fidèlement chaque matin depuis trois ans, vient garder Noémie et Xavier. Au même instant, les enfants se réveillent, réclament le «bisou» du matin tout autant que les céréales et le jus. Heureusement que Nicole est arrivée. Elle l'apprécie doublement depuis que François est parti et l'a laissée seule avec la marmaille.

Laissant les petits aux bons soins de Nicole, Martine se précipite vers la douche. Elle doit être au bureau à neuf heures, un client l'y attend. Elle sèche ses cheveux, s'habille à la hâte, ingurgite son café refroidi, embrasse rapidement les enfants et court vers sa voiture. Il pleut. «*Pourvu que le pont ne soit pas bloqué*», se dit-elle. Elle ouvre la radio qui lui donne le pouls de la circulation et décide d'emprunter la route 25 que l'on décrit assez dégagée. Heureusement, la circulation est fluide. Elle roule normalement, quand soudain, tout s'arrête: une auto est en panne.

Martine sent le stress l'envahir et tempête contre ces automobilistes négligents qui circulent avec des voitures en mauvaise condition. Elle a tout le temps voulu dans cet embouteillage pour ruminer certaines pensées qui l'assaillent depuis le départ de François: «*Quel égoïste! il n'a pensé qu'à lui dans cette décision. Il aurait dû, tout comme moi, faire des compromis. Qu'est-ce qui va m'arriver avec toutes ces responsabilités? On parle de compression du personnel au travail. Serai-je du nombre des mises à pied? Et Nicole qui demande à me parler d'ici le week-end. Veut-elle nous quitter à son tour?* »

L'esprit de la jeune femme vagabonde au rythme des klaxons des automobilistes impatients. Par surcroît, Martine s'inquiète de sa santé. C'est pourquoi elle a pris rendez-vous avec le docteur Dupont, son médecin de famille. Elle se sent fourbue, digère mal, souffre de maux de tête et de palpitations, se réveille fréquemment la nuit, se lève aussi fatiguée qu'au coucher. Que se passe-t-il? Voilà à peine un an, elle était aussi solide que le roc.

Nous pourrions continuer d'observer le déroulement de la journée de Martine et constater les nombreux agents stressants auxquels elle est soumise. Mais cette heure passée en sa compagnie suffit à nous démontrer que sa détresse est commune à de nombreuses personnes.

Surcharge de travail, chambardements dans les valeurs, précarité de l'emploi, chômage, tous les bouleversements subis en cette fin de millénaire, constituent des facteurs de stress auxquels nous devons nous adapter. Plusieurs entreprises déplorent un taux d'absentéisme de plus en plus élevé, tandis que de son côté, le corps médical s'inquiète de l'augmentation des cas d'épuisement professionnel, de maladies psychosomatiques et d'infarctus. Les médecins en attribuent la cause au stress qui, selon eux, diminue les défenses immunitaires d'une personne. Cette dernière devient ainsi plus vulnérable à la maladie.

Actuellement, la plupart des pays industrialisés font face à un taux de chômage élevé et à un appauvrissement de la population. Bien plus, les économistes semblent incapables de prédire l'issue de cette situation. Sommes-nous donc complètement démunis vis-à-vis de cette forme de tension? Non, fort heureusement. C'est d'ailleurs ce que ce volume se propose de vous démontrer. En effet, nous pouvons exercer un certain pouvoir sur une partie du stress dont nous sommes victimes. Ainsi, notre interprétation des différents événements de notre vie, notre manière de prendre les choses, peut faire la différence entre des sentiments légitimes d'inquiétude, de tristesse, de déception, et des sentiments stressants d'anxiété, de rage, de panique, de dépression.

Considérant l'importance de notre bien-être psychologique dans nos rapports familiaux, sociaux ou professionnels, ce volume se consacre à atteindre cet objectif.

Ce livre se différencie des autres ouvrages déjà écrits sur le stress car il parle peu des méthodes habituellement suggérées pour le combattre. Surveiller son alimentation, cesser de fumer, réduire sa consommation de café, faire du sport, pratiquer la détente, sont certes de bonnes habitudes de vie à adopter, mais *À la recherche d'un équilibre* s'attarde davantage sur les facteurs psychologiques du stress et sur les moyens de le réduire.

Un article paru dans *Journal of the American* et rapporté dans *La Presse* nous fait constater son importance. Il semble que, selon certains médecins, chez le cardiaque, le stress psychologique cause davantage de rechutes que le stress physique, compte tenu qu'on peut l'évaluer grâce aux tests d'épreuve sur tapis roulant. Dans ces conditions, on peut donc intervenir pour éviter une récidive. Cependant, notent ces spécialistes, ces tests n'ont aucune valeur prédictive des variables psychologiques.

Voilà pourquoi il appartient à chacun d'apprendre à se connaître, et c'est ce que vous propose ce volume. Comme le stress psychologique est constitué avant tout d'émotions, nous découvrirons d'abord leur origine et nous apprendrons par la suite, comment un individu peut les contrôler.

Des exercices vous permettant de comprendre et d'expérimenter une façon de diminuer ce genre de stress vous seront proposés. Soyez avisé toutefois qu'une simple lecture du volume ne peut donner de résultats durables, et que seul un investissement d'efforts de votre part peut développer vos habiletés à le contrer.

Ce livre s'inspire de la «Rational Therapy» créée par Albert Ellis, réputé psychologue américain. Au Québec, cette approche connue sous le nom de «Émotivo-rationnelle» a été popularisée par le psychologue Lucien Auger. Cette pensée réaliste n'est pourtant pas nouvelle puisqu'elle vient de penseurs aussi anciens que Socrate, Épictète et Marc Aurèle. «Les gens sont troublés non par les choses mais par les points de vue qu'ils leur appliquent», affirmait Épictète.

Ajoutons à ceci que la thérapie cognitive dont s'inspire ce volume a acquis ses lettres de noblesse, puisqu'elle est maintenant reconnue par la psychologie moderne et utilisée par de nombreux thérapeutes au cours de leurs relations d'aide.

Test:

Avant de vous engager plus avant dans la lecture de ce volume, nous vous proposons un test pour évaluer votre niveau approximatif de stress au moment présent.

Consigne:

Après chaque question, encerclez le chiffre qui correspond le mieux à ce que vous vivez.

1) Jamais ou très rarement
2) Parfois
3) Souvent ou assez souvent
4) Très fréquemment

1. Perdez-vous patience rapidement?	1	2	3	4
2. Vous faites-vous du souci?	1	2	3	4
3. Vous retenez-vous d'exploser alors que vous bouillez à l'intérieur?	1	2	3	4
4. Vous sentez-vous coupable à propos de certains de vos agissements présents ou passés?	1	2	3	4
5. Manquez-vous de confiance en vous?	1	2	3	4
6. Êtes-vous dans un domaine où vous devez être performant?	1	2	3	4
7. Cherchez-vous à être le meilleur, soit au travail, dans les activités de loisirs, dans les études, etc.?	1	2	3	4
8. Manquez-vous de collaboration pour l'exécution de certaines tâches, vous sentez-vous débordé?	1	2	3	4
9. Êtes-vous intolérant envers les autres ou envers vous?	1	2	3	4
10. Avez-vous des problèmes financiers?	1	2	3	4
11. Vous arrive-t-il de croire que vous ne vous en sortirez jamais?	1	2	3	4
12. Vous considérez-vous moins valable, moins bon que les autres?	1	2	3	4
13. Vous arrive-t-il de manquer de travail?	1	2	3	4
14. Hésitez-vous à vous confier à quelqu'un?	1	2	3	4
15. Êtes-vous soupçonneux?	1	2	3	4
16. Vous sentez-vous fébrile, agité?	1	2	3	4
17. Avez-vous l'impression de courir du matin au soir?	1	2	3	4
18. Votre langage est-il agressif (donner des ordres, blasphémer, crier, serrer les dents)?	1	2	3	4

19. Vous arrive-t-il de trouver votre travail ennuyeux,
    peu stimulant?   1   2   3   4
20. Avez-vous de la difficulté à prendre des décisions?   1   2   3   4
21. Perdez-vous rapidement votre enthousiasme?   1   2   3   4
22. Avez-vous l'impression de ne pas vivre comme
    vous l'aviez rêvé?   1   2   3   4
23. Craignez-vous pour votre santé ou pour celle
    d'une personne qui vous est chère?   1   2   3   4
24. Vous sentez-vous contraint de faire des choses
    qui vous déplaisent?   1   2   3   4
25. Êtes-vous insatisfait de votre apparence physique?
    à vos yeux, êtes-vous trop gros, trop maigre,
    trop grand, trop petit?   1   2   3   4
26. Abuse-t-on de votre disponibilité pour les autres?   1   2   3   4
27. Vous arrive-t-il d'être triste, de pleurer?   1   2   3   4
28. Éprouvez-vous des frustrations dans votre vie
    affective (avec les enfants, les parents, les frères
    et les sœurs)?   1   2   3   4
29. Éprouvez-vous des difficultés dans votre vie
    amoureuse?   1   2   3   4
30. Ruminez-vous vos problèmes, vos échecs?   1   2   3   4
31. Avez-vous de la difficulté à vous concentrer sur
    une seule tâche à la fois?   1   2   3   4
32. Négligez-vous de voir vos amis parce que
    vous avez trop de travail?   1   2   3   4
33. Avez-vous mis les loisirs de côté, faute de temps
    ou d'argent?   1   2   3   4
34. Avez-vous des difficultés sexuelles?   1   2   3   4
35. Avez-vous des ennuis de santé tels des maux
    de tête, un mauvais fonctionnement du système
    digestif, des palpitations, une poussée
    inhabituelle d'eczéma, de psoriasis ou une
    autre maladie de la peau, des courbatures,
    des douleurs au cou ou au dos, une fatigue
    excessive?   1   2   3   4
36. Avez-vous des crises de panique?   1   2   3   4
37. Est-il difficile pour vous de décompresser?   1   2   3   4
38. Prenez-vous beaucoup de temps à vous endormir
    ou avez-vous un sommeil fragile?   1   2   3   4
39. Êtes-vous sous pression au travail?   1   2   3   4
40. Négligez-vous de prendre des vacances?   1   2   3   4

41. Avez-vous des trous de mémoire ?	1	2	3	4
42. Travaillez-vous dans un environnement bruyant ?	1	2	3	4
43. Refoulez-vous vos émotions ?	1	2	3	4
44. Mangez-vous trop ou mangez-vous mal ?	1	2	3	4
45. Buvez-vous beaucoup de café, de thé, de boissons gazeuses, d'alcool ?	1	2	3	4
46. Avez-vous des tics nerveux ?	1	2	3	4
47. Prenez-vous des tranquillisants ?	1	2	3	4
48. Négligez-vous de faire de l'exercice physique ?	1	2	3	4
49. Sursautez-vous au moindre bruit ?	1	2	3	4
50. Cherchez-vous à contrôler, soit votre famille, vos amis, ou toute autre personne de votre entourage ?	1	2	3	4

Résultats

Additionnez les chiffres encerclés. Plus vous vous rapprochez de 200, plus votre niveau de stress est élevé. Ce test ne comporte cependant pas une liste exhaustive des symptômes ou encore des occasions de stress et n'a pas pour but de définir d'une façon exacte où vous vous situez. Il se veut plutôt une façon de mesurer votre progression vers le mieux-être, compte tenu que nous vous le proposerons de nouveau au cours des différentes étapes de cette autothérapie.

Cependant, il est important de ne pas vous tracasser quant à vos résultats, car il est à considérer que la réserve d'énergie de chacun est différente d'une personne à l'autre. Vous êtes peut-être l'un de ces chanceux mieux armés au point de vue génétique pour faire face au stress. Mais si, par contre, des signes avant-coureurs de surmenage ont déjà fait leur apparition, profitez de ce signal d'alarme pour apprendre, à l'aide de ce volume, à mieux dominer votre stress.

Chapitre I

Faire connaissance avec le stress

Qu'est-ce que le stress?

D'abord, rassurez-vous! Le stress est un phénomène naturel qui constitue l'essence même de la vie. Si le stress a mauvaise réputation, c'est que nous l'associons trop souvent à l'épuisement physique ou à des souffrances psychologiques, ce qui constitue une définition incomplète du mot «stress».

En 1950, après plusieurs années de recherches en laboratoire, Hans Selye, endocrinologue canadien reconnu à travers le monde, définissait ainsi le stress: «La réaction non spécifique de l'organisme à *toute demande* qui lui est faite.» Ou encore: «La conséquence de toute exigence imposée au corps ou à l'esprit»[1]. Cette définition nous amène donc à constater que – comme nous sommes des êtres humains vivants – nous réagissons constamment à des stimuli. Par conséquent, nous sommes dans un état perpétuel de stress. Le stress est donc un phénomène naturel et, dans ce sens, son absence totale signifierait la mort.

Grâce aux définitions précédentes, nous pouvons également déduire que, non seulement le stress est partout, mais qu'il se présente aussi sous diverses formes. Bien sûr, ses conséquences peuvent être graves et violentes, mais le stress peut aussi engendrer beaucoup d'élan, de la joie, du dynamisme, et de la créativité. Comme le dit Hans Selye: «Le caractère agréable ou désagréable d'un stresseur dépend simplement de l'intensité de la demande faite à la capacité du corps. N'importe quelle forme d'activité normale, une partie d'échecs ou même une étreinte

---

1. Selye, Hans. *Stress sans détresse*, Montréal, Éd. La Presses, 1974.

passionnée, est capable de produire un stress considérable sans occasionner aucun effet nuisible»[1]. Le stress peut donc être tout autant positif que négatif, voire même neutre.

Stress positif et stress négatif

Exécuter un travail qu'on aime et l'accomplir sans être poussé constamment par un patron exigeant, procure un stress que l'on peut qualifier de positif. Par la suite, la satisfaction de voir réussir le projet sur lequel on a travaillé avec acharnement, compense souvent pour la fatigue et les efforts fournis. Toutefois, le travail peut devenir une source de stress négatif s'il ne nous convient pas, s'il est effectué dans de mauvaises conditions, ou si les responsabilités sont trop lourdes. De plus, s'il occasionne de l'ennui, un travail routinier peut également constituer un facteur de stress.

Quant à l'effort physique, on le considère aussi comme un stresseur, car il engendre une réaction chimique de l'organisme. Ainsi, n'avez-vous jamais ressenti une saine fatigue vous envahir après une activité sportive disputée entre amis? Ce stress positif qui a obligé votre corps à se mobiliser pour vaincre l'adversaire, a été un stimulant pour lui. Mais si ces activités sportives sont pratiquées sans période de réchauffement, avec excès, ou dans un esprit de compétition qui conduit à des tensions, il devient négatif.

Les émotions, quant à elles, jouent un rôle important dans le stress. La reconnaissance, la tendresse, la joie, la confiance, le désir, l'amour, etc. constituent des émotions agréables qui consomment une partie de votre énergie. Mais le bien-être ressenti compense largement pour la perte subie.

Par contre, à l'inverse de ce stress positif utile à l'équilibre psychologique, celui que déclenchent l'anxiété, la colère, la culpabilité, la tristesse et la dévalorisation personnelle, est nettement préjudiciable.

Remarquons que la limite entre le stress positif et le stress négatif est parfois si ténue, si peu perceptible, qu'il devient difficile de l'établir. Prenons le cas de Philippe, 32 ans, cadre d'une importante entreprise. Comme des milliers de jeunes qui débutent sur le marché du travail, Philippe a dû envoyer des dizaines

---

1.   Selye, Hans. *Stress sans détresse*, Montréal, Éd. La Presses, 1974.

et des dizaines de curriculum vitae avant de dénicher un emploi qui répond à ses aspirations. C'est vous dire maintenant combien il tient à ce poste.

Enthousiaste, dynamique, il ne compte pas ses heures : c'est un lève-tôt, il travaille d'arrache-pied à longueur de journée, et il apporte même des dossiers à la maison. Ses week-ends sont consacrés aux sorties avec son épouse, ses amis, et parfois même avec des clients de passage dans sa ville. «Ce sont de bons contacts», dit-il. De plus, Philippe trouve malgré tout le temps de pratiquer un sport, histoire de garder la forme. Peu de temps consacré au repos toutefois ! Mais, tout comme son père, il est de ces personnes qui, dans leurs gènes, semblent favorisées au niveau énergie.

En moins de temps qu'il ne faut pour le dire, Philippe est propulsé au rang de cadre. Les responsabilités se décuplent mais le jeune homme gère bien le stress qui les accompagne. Il semble vraiment avoir atteint sa dose optimale de stimulation lui permettant de donner son plein rendement. En fait, tout se passe plutôt bien pour lui pendant quelques années. Il a pris l'habitude depuis belle lurette d'un retour tardif du travail. Aussi est-il stupéfait qu'un soir, à son arrivée, son épouse lui annonce son désir de divorcer. Elle invoque à l'appui de ses arguments le partage inégal des responsabilités familiales l'empêchant de donner un plus grand essor à sa propre carrière et le peu de temps consacré à leur vie de couple. Comme leurs nombreuses discussions sur ce sujet crucial n'ont provoqué aucun changement, elle s'est décidée à agir et à consulter une avocate.

Philippe est atterré. Tour à tour, la culpabilité, la colère, l'anxiété et la tristesse l'envahissent. Et, comme un effet d'entraînement, les déceptions et les soucis s'accumulent bientôt dans la vie du jeune homme. En effet, l'entreprise pour laquelle il travaille subit au même moment des pertes importantes. Il est question de rationalisation. Résultat : Philippe craint une baisse de salaire considérable, voire même son licenciement. Philippe n'en peut plus ; il a atteint ce niveau où le stress devient préjudiciable à sa santé. Et il faut bien l'avouer, faire face à tous ces changements brutaux et successifs tout en éprouvant les émotions désagréables qui s'ensuivent, tout cela a largement dépassé sa capacité d'adaptation. Ces malheureux contrecoups l'ont ébranlé et ils n'ont donc pu être encaissés d'une façon harmonieuse par l'organisme.

Les symptômes d'un excès de stress négatif apparaissent: fatigue, irritabilité, troubles du sommeil, difficulté à se concentrer et à prendre des décisions, etc. Philippe a franchi la barrière qui sépare le stress positif du stress négatif, devenant ainsi un candidat tout désigné au surmenage professionnel, à l'infarctus ou aux autres maladies psychosomatiques.

Le stress d'origine physiologique

Pour donner suite aux considérations précédentes, ajoutons qu'il est important d'établir d'abord une distinction claire entre les facteurs physiologiques et les facteurs psychologiques du stress.

Dans cette optique, toute activité physique quelle qu'elle soit constitue un facteur de stress physiologique appelé également stress physique: je marche, je parle, je mange, j'écris, je travaille de mes mains, je plante des fleurs, etc. Fort heureusement, la plupart de ces gestes de tous les jours deviennent presque des réflexes qui ne demandent aucun processus d'adaptation. Pour les accomplir, nous puisons dans des réserves d'énergie renouvelables par le repos et l'alimentation. Voilà pourquoi des heures de sommeil raisonnables et une alimentation saine et équilibrée sont si importantes.

Soulignons également que, contrairement à l'opinion générale, nous sommes légèrement stressés, même quand nous dormons, car notre cœur continue de pomper le sang et nos autres organes: les poumons, le foie, les intestins, le pancréas, etc., effectuent le travail qui leur incombe. Si nous sommes en santé, ce stress physique est toutefois minime, mais il devient plus important si nous sommes affligés d'une maladie organique car des mécanismes d'adaptation deviennent nécessaires à ce moment-là.

Non seulement ces gestes quotidiens affectent-ils directement notre corps, mais certains facteurs externes peuvent s'ajouter. Ainsi, l'intensité du bruit environnant constitue également un facteur physiologique de stress qui menace parfois notre équilibre nerveux. Qu'il suffise seulement de nous promener dans une grande ville et d'écouter: c'est un vacarme assourdissant de coups de klaxon répétés, de vrombissements du moteur des autobus, de grincements de freins, de crissements des pneus sur la chaussée, de pétarades des motos, de hurlements des sirènes, et j'en passe.

Quant aux bruits intérieurs de nos maisons, ils dépassent parfois les 60 décibels – le seuil au-dessus duquel le bruit devient préjudiciable. La sonnerie du téléphone, le téléviseur et le lave-vaisselle en marche, les cris des jeux ou les chamailleries des enfants, les jappements du chien combinés aux coups de sonnette de la porte – et parfois tout ce tintamarre en même temps – constituent de puissants agresseurs qui nous stressent d'une façon considérable.

Par surcroît, comment passer sous silence l'air pollué des grandes villes, son insalubrité dans certains immeubles de bureaux, la mauvaise aération de nos maisons durant les longs mois des hivers canadiens notamment? La qualité de l'air représente également un des facteurs physiologiques de stress. Par ailleurs, les quatre saisons caractérisant certains pays ne représentent toutefois pas seulement des avantages. Elles obligent notre organisme à s'adapter à des écarts de température marqués, ajoutés aux autres facteurs physiologiques qui affectent notre corps.

Comme vous pouvez le constater, notre environnement joue un rôle important quant au degré de stress qui nous afflige. Ces stresseurs apparemment banals accaparent tout de même une partie de notre capital d'énergie.

Les moyens de réduire le stress physiologique

Afin d'éviter des dépenses énergétiques inutiles, ne serait-il pas plus sage de nous arrêter un moment et d'examiner les facteurs physiologiques qui, pris individuellement, nous stressent? Ce faisant, nous découvrirons notre pouvoir sur certains d'entre eux. Ainsi, une saine alimentation, de l'exercice physique modéré, du repos – en somme une bonne hygiène de vie – tout cela renouvelle nos énergies et favorise le bon fonctionnement de nos organes, nous évitant ainsi la maladie, une source importante de stress physiologique.

Pour échapper aux aspects contraignants de la vie en ville, il n'est pas nécessaire de nous isoler dans quelque bled perdu. Des solutions moins draconiennes peuvent être trouvées – même s'il est vrai que nous n'exerçons qu'un pouvoir bien restreint sur les bruits agressants de la ville. L'une de ces solutions serait certes de nous organiser pour éviter davantage les heures d'affluence des grands axes routiers, quand c'est possible.

S'il nous est difficile d'amenuiser les bruits extérieurs, il en est tout autrement des bruits intérieurs de nos maisons. Une analyse nous permettra peut-être de corriger certains d'entre eux. En effet, pourquoi ne pas installer le téléviseur dans une pièce éloignée de la cuisine? Pourquoi ne pas faire fonctionner le lave-vaisselle à un moment où nous sommes hors de cette pièce? En éliminant ainsi certains bruits, il est possible de se rapprocher des trente décibels d'une pièce calme.

Mais comme nous vivons dans un feu roulant continuel, trop pris par notre vie familiale, professionnelle et sociale, nous nous empêchons trop souvent de réfléchir à certaines solutions toutes simples pour contrer, ne serait-ce qu'en partie, certains facteurs externes de stress.

Stratégie antistress

De lire ce livre, c'est déjà une prise de conscience du stress comme cause ou risque probable d'occasionner certains ennuis.

Mais si vous voulez mieux gérer votre stress, vous devrez vous débarrasser de certaines habitudes de penser et d'agir, et en acquérir de nouvelles. Pour obtenir le maximum de résultats, vous devrez toutefois faire quelques efforts. Voilà pourquoi nous vous suggérons grandement de faire les exercices suivants.

En premier lieu, soulignons toutefois que la stratégie anti-stress proposée ici comporte trois phases principales: d'abord une vérification des connaissances acquises qui nous permettra de relire immédiatement certains éléments à clarifier.

Ensuite, en second lieu, nous vous suggérons d'observer vos comportements pour mieux vous connaître et détecter ainsi vos sources de stress.

Finalement, nous vous présentons une troisième phase pour vous amener à adopter une nouvelle façon de penser et d'agir dans votre vie quotidienne.

Vérifiez votre degré de compréhension (Voir réponses à la fin de l'exercice)

Répondez par VRAI ou FAUX:

1) Le stress est un phénomène naturel. _____

2) Le stress n'est que de l'épuisement nerveux. _____

3) Le stress est une réaction de l'organisme à toute demande qui lui est faite. _____

4) Toute activité physique quelle qu'elle soit constitue un facteur physiologique de stress. _____

5) Nous ne sommes pas du tout stressés durant le sommeil. _____

6) Le bruit, la température, la pollution sont des agents stressants. _____

7) L'absence complète de stress signifie la mort. _____

8) Nous n'avons aucun pouvoir sur les facteurs externes de stress. _____

9) Le stress peut être une source de dynamisme et de créativité. _____

10) Le stress est toujours dommageable. _____

Réponses à l'exercice «Vérifiez votre degré de compréhension»

1) V	5) F	9) V
2) F	6) V	10) F
3) V	7) V	
4) V	8) F	

N.B.: Si vous avez répondu de façon erronée à au moins trois reprises au cours de cet exercice, vous auriez avantage à relire le début du chapitre I jusqu'ici.

Connaissance de soi

1) Relevez dans votre vie cinq éléments externes qui vous causent un stress physiologique, que ce soit au travail, à la maison ou ailleurs.

_____

_____

_____

_____

_____

2) Pouvez-vous contrôler l'un ou l'autre de ces cinq éléments? Si oui, que pouvez-vous faire?

_____

_____

_____

_____

_____

Vers l'équilibre

Choisissez un élément externe que vous pouvez contrôler et appliquez-vous cette semaine à l'éliminer, ou tout au moins à le minimiser.

Chapitre II

Le stress d'origine psychologique

Le présent chapitre rassemble quelques réflexions sur le stress d'origine psychologique, appelé aussi stress émotionnel. Pour l'illustrer, utilisons un exemple.

Claire et Martin ont découvert que Julie, leur fille de 13 ans, a des relations sexuelles avec son petit ami, même si elle leur a pourtant affirmé le contraire. En l'apprenant, ils ont réagi avec colère, la traitant de menteuse et lui défendant de revoir ce jeune homme. Résultat: Julie ne leur adresse plus la parole depuis trois jours. À son retour de l'école, elle s'enferme dans sa chambre et pleure. Claire et Martin se sentent coupables de leur réaction si violente.

Ces parents ressentent un stress d'origine psychologique. Colère, anxiété, culpabilité, tristesse et déception forment la trame de leur malaise. Le stress sous cette forme est plutôt fréquent et particulièrement nocif car il est le résultat d'une réaction émotionnelle inadéquate, disproportionnée à la situation.

Origine des émotions

Prenons d'abord le temps de clarifier une croyance entretenue par nombre de personnes, à savoir que ce sont les personnes ou les événements extérieurs qui sont à l'origine de nos émotions. Les assertions comme: «La situation économique me rend anxieux», «Les politiciens m'enragent», «Mon patron me dévalorise», «Mes parents me culpabilisent», le démontrent bien.

Cependant, si ces affirmations étaient conformes à la réalité, tout le monde ressentirait les mêmes émotions par rapport aux mêmes événements. Or, il n'en est rien. Dans l'exemple précédent, auriez-vous réagi de la même façon que Claire et Martin? Si vous répondez «oui», c'est que vous évaluez la situation de la même façon qu'eux. Si vous répondez «non», c'est que vos cognitions et vos interprétations de l'événement sont différentes des leurs. Pour illustrer ce qui précède, référons-nous à ce schéma.

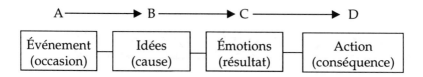

Voici quelques explications:

A) un événement se produit;

B) des cognitions, des idées, des croyances se forment dans votre esprit à propos de cet événement;

C) au même moment, l'émotion apparaît et

D) une action suit parfois, plus ou moins rapidement.

Tout ce processus se déroule presque simultanément et, à moins de vous y arrêter, vous en êtes inconscient.

Revenons donc à l'exemple de Claire et Martin et analysons en détail ce mécanisme.

A)	*Événement:* (occasion)	Claire et Martin découvrent que Julie a des relations sexuelles et leur a donc menti.
B)	*Idées:* (cause)	C'est épouvantable d'avoir des relations sexuelles à cet âge. Elle aurait dû nous en parler. S'il fallait qu'elle soit enceinte ou qu'elle ait contracté une MTS (Maladie transmise sexuellement), ce serait terrible! Tout de même, nous n'aurions pas dû nous fâcher comme nous l'avons fait.
C)	*Émotions:* (résultat)	Anxiété, colère, culpabilité (émotions stressantes).
D)	*Action:* (conséquence)	Claire et Martin traitent Julie de menteuse, et lui défendent de revoir ce jeune homme. Ils brisent ainsi la communication avec elle. En fait, tout cela est contraire à leur objectif et crée un conflit familial encore plus stressant.

    Voyons comment ces parents auraient pu réagir d'une façon plus pondérée s'ils avaient ressenti des émotions plus appropriées.

A) *Événement:*   Le même
    (occasion)

B) *Idées:*
    (cause)
        1) Avoir des relations sexuelles à cet âge n'est pas souhaitable et nous aurions préféré que Julie s'en abstienne.

        2) Nous aurions aimé qu'elle nous en parle, mais c'était son droit de ne pas le faire.

        3) Elle s'est peut-être protégée, nous n'en savons rien, et de plus, les MTS ne sont pas toutes mortelles. Avant de nous tracasser, voyons avec elle ce qui en est.

C) *Émotions:*   Déception, inquiétude (émotions appropriées et
    (résultat)   moins stressantes).

D) *Action:*   Claire et Martin ne blâment pas Julie, ils se mon-
    (conséquences) trent compréhensifs, tout en manifestant leur désaccord. En se conformant à leur objectif, ils prennent le temps d'écouter calmement leur fille afin d'établir un climat de confiance qui leur permettra par la suite de guider l'adolescente dans cette étape importante de sa vie.

    Pour donner suite à ces considérations, nous pouvons conclure que **NOS ÉMOTIONS SONT CAUSÉES EN GRANDE PARTIE, PAR NOS IDÉES, NOS PENSÉES OU NOS CROYANCES, À L'OCCASION DES ÉVÉNEMENTS QUI NOUS ARRIVENT OU DES SITUATIONS QUE NOUS VIVONS.**

Le contrôle des émotions

    En fait, nous pouvons en déduire que deux choix s'offrent à nous si nous voulons diminuer et même, dans certains cas, faire disparaître certaines émotions désagréables stressantes: 1) modifier la situation ou l'éviter; ou 2) changer nos pensées, nos croyances, c'est-à-dire nos cognitions, en d'autres mots, de changer notre façon de voir les choses.

    Le premier choix, modifier l'événement ou le fuir, n'est pas toujours chose facile à faire, et c'est parfois même impossible. Ainsi, durant vos vacances, vous vous fracturez un bras en pratiquant votre sport préféré. Vous tempêtez, vous trouvez cela injuste et, par conséquent, vous vous stressez. Pouvez-vous modifier cette situation? C'est impossible. Il vaudrait donc mieux tenter de voir les choses autrement. Vous serez peut-être déçu sans pour autant être enragé, et vous éviterez ainsi de gâcher davantage vos vacances et celles de votre famille par votre mauvaise humeur. En ne percevant pas cet événement comme une catastrophe mais plutôt comme un incident très désagréable, vous vous déroberez aussi à un stress psychologique – un ajout inutile au stress physique découlant de l'accident.

Il est toutefois possible, dans certaines circonstances, de modifier une situation ou de l'éviter si elle vous occasionne des émotions désagréables. Ainsi, relativement à votre cousin séparatiste ou fédéraliste qui vous casse les oreilles avec ses discussions interminables, il peut vous être salutaire d'éviter de le rencontrer, ou à tout le moins de ne pas discuter avec lui de ces questions, si son discours vous occasionne de la colère ou de l'anxiété. Il est parfois avantageux d'esquiver certains stresseurs qui rognent sur votre capital d'énergie.

Mais quand vous n'avez pas de contrôle sur la situation ou sur l'événement, par exemple, la situation économique présente, ou quand cet événement se situe dans le passé, comme dans le cas des relations sexuelles de Julie; ou encore quand de l'éviter risque de vous présenter des inconvénients que vous ne voulez pas subir: une autre démarche peut vous être d'un grand secours. C'est ce que vous propose la thérapie cognitive: modifier vos pensées au sujet de l'événement en utilisant la confrontation, de façon à réagir moins fortement ou moins longtemps à ce stimulus.

La confrontation

La confrontation n'est pas un affrontement mais plutôt un exercice de comparaison. En cour, le juge confronte les témoins entre eux, compare leurs déclarations réciproques afin de connaître la vérité.

C'est ainsi dans la confrontation. Nous faisons le procès de nos idées, pour tenter de découvrir si elles sont conformes à la réalité ou non. En expérimentant cette démarche, vous découvrirez que les émotions désagréables sont presque toujours causées par des idées fausses, ou à tout le moins douteuses.

Cette technique comprend cinq étapes que nous décrirons en nous servant d'un exemple.

Lucie a l'habitude de donner des conseils à sa fille Marie, même si celle-ci ne le lui demande guère. Elle tente de lui imposer ses idées sur différentes questions: gérer son budget, décorer sa maison, élever son enfant, même sa vie de couple n'y échappe pas. Marie se dit stressée dès que sa mère annonce sa visite ou lui téléphone.

Pour se soustraire au stress, Marie pourrait fuir la situation en évitant tout simplement de voir sa mère ou même de lui parler au téléphone. Mais ce n'est pas ce qu'elle souhaite. Marie pourrait donc expérimenter une solution moins draconienne: changer ses cognitions, sa manière de voir les choses, et demeurer calme malgré les remarques de sa mère. C'est ce qu'on appelle se confronter. Voici l'exemple d'une confrontation écrite.

A. Première étape: L'événement ou l'occasion

Recherchez l'événement ou la situation qui est l'occasion pour vous de ressentir des émotions désagréables. Dans l'exemple ci-haut mentionné: l'attitude de la mère.

B. Deuxième étape: Les émotions

Marie ressent de l'anxiété et de la colère (exprimée ou refoulée).

C. Troisième étape: Les idées

Voici quelques pistes intéressantes que Marie pourrait explorer. Elle se dit probablement:

1) Ma mère n'a pas le droit de s'immiscer dans ma vie personnelle (colère).

2) Il faut absolument que ma mère m'approuve pour être certaine que j'agis adéquatement (anxiété).

3) Si ma mère n'est pas d'accord avec ce que je fais, c'est terrible (anxiété)!

4) Si je lui en parle, elle aura de la peine (anxiété).

5) Si elle se fâchait, je ne pourrais le supporter (anxiété).

D. Quatrième étape: La confrontation

Il s'agit ici de faire le procès des idées explorées en C, afin de vérifier si elles sont vraies, fausses ou douteuses. Par des questions telles que: Où est la preuve de ce que j'avance? Qu'est-ce qui me prouve ça? Pourquoi est-ce terrible, catastrophique ou épouvantable? Qu'est-ce qui risque d'arriver?, etc. Marie découvrira que ses idées sont:

1) Fausse
2) Fausse
3) Fausse
4) Douteuse
5) Fausse

Marie peut maintenant changer par des idées vraies, ses idées initiales non conformes à la réalité.

Ainsi, elle pourra se dire:

1) Aucune loi de la nature n'interdit à ma mère de se mêler de mes affaires, même si je n'aime pas ça. Je considère qu'elle fait une erreur en agissant comme elle le fait, mais c'est un être humain avec ses qualités et ses défauts.

2) Pourquoi ai-je besoin de l'approbation de ma mère pour me sentir bien avec mes choix? Elle a sa façon de voir les choses et j'ai la mienne.

3) Si elle était d'accord avec mes choix, ce serait agréable puisque ça créerait une complicité entre nous. Mais ce n'est pas la fin du monde si c'est autrement.

4) Ce n'est pas certain qu'elle aurait de la peine, mais c'est possible. Pour éviter que ça se produise, suis-je prête à me taire et à tolérer ses remarques désagréables?

5) Elle sera peut-être fâchée pendant un certain temps, mais ce serait surprenant qu'elle le soit pour toujours et qu'elle rompe complètement toute relation avec moi.

E. Cinquième étape: Le résultat émotif

Marie sera tout de même encore déçue et un peu irritée quant à l'attitude de sa mère, mais elle sera toutefois moins stressée.

En conclusion

Avec le temps, Marie verra si elle s'adapte à cette situation, sinon, elle décidera peut-être de parler à sa mère. Sa confrontation lui aura alors permis d'être plus calme pour le faire et elle pourra à ce moment utiliser une technique de communication éprouvée: d'employer le «je» pour exprimer ce qu'elle ressent plutôt que le «tu» accusateur qui risque de créer un conflit. «Je sais que tu agis ainsi pour bien faire mais je n'aime pas que tu interviennes dans telle ou telle situation. Je respecte ta façon de voir les choses, mais moi je les vois différemment. Si je fais des erreurs, je suis prête à en assumer les conséquences.» Si Marie ressent une réelle affection pour sa mère, elle profitera de cette occasion pour la lui exprimer: «Maman, je t'apprécie beaucoup, mais j'ai de la difficulté à accepter tes remarques.»

Dans cet exemple, il est important que Marie fasse une confrontation écrite même si toutes les situations ne demandent pas cet effort. Parfois, une simple confrontation mentale suffit.

Toutefois, afin de vous inciter à faire cette démarche, nous vous suggérons de vous procurer un cahier que vous utiliserez uniquement à cette fin. Une fois par jour, faites une pause de 15 minutes et repassez votre journée pour détecter les moments où vous vous êtes senti mal dans votre peau, tendu, contrarié, abattu ou nerveux. Ainsi, vous comprendrez que l'événement qui s'est produit a été perçu par votre cerveau comme un agent stresseur. À ce moment, écrivez les idées que vous entretenez et confrontez-les.

Pour vous y aider, vous trouverez à la page suivante un exemple des différentes étapes d'une confrontation.

Confrontation réalisée le _____.

A   *Événement:*
    (occasion)

    _____

    _____

    _____

    _____

    _____

B   *Idées:*
    (cause)

    _____

    _____

    _____

    _____

C   *Émotions:*
    (effet)

    _____

    _____

    _____

    _____

D   *Confrontation:*

    _____

    _____

    _____

    _____

E   *Nouvelles émotions:*

_____

_____

_____

_____

_____

Stratégie antistress

N.B.: Au début de cette démarche, des explications quelque peu techniques sont nécessaires pour comprendre l'approche émotivorationnelle (thérapie cognitive). Voilà pourquoi nous vous suggérons de vérifier à nouveau votre compréhension après avoir lu ces quelques pages. Si certains points demeurent nébuleux, il vous sera plus facile de les clarifier avant de poursuivre.

Vérifiez votre degré de compréhension (voir réponses à la fin de l'exercice)

Répondez par VRAI ou FAUX

1) Certaines personnes peuvent nous causer des émotions. _____

2) Tout le monde réagit de la même façon par rapport à un événement ou à une situation. _____

3) Il est parfois possible d'éviter une situation qui nous occasionne du stress. _____

4) Fuir peut être utile pour parer certains stresseurs. _____

5) La confrontation est un affrontement. _____

6) Nos idées peuvent être vraies, fausses ou douteuses. _____

7) Il faut toujours faire les confrontations par écrit pour obtenir des résultats. _____

8) La confrontation consiste à faire le procès de nos idées. _____

9) Un événement qui se produit peut être une occasion de ressentir des émotions. _____

10) Le stress psychologique dépend pour une grande part de notre façon de penser. _____

11) Le stress psychologique est rare et peu dommageable. _____

12) Il est difficile de trouver des solutions à nos problèmes quand nous vivons des émotions stressantes. _____

13) Il est approprié de ressentir de la déception quand quelque chose de fâcheux nous arrive. _____

14) L'inquiétude est une émotion moins stressante que l'anxiété. _____

15) La cause et l'occasion d'une émotion, c'est la même chose. _____

Réponses à l'exercice « Vérifiez votre degré de compréhension » :

1) F	9) V
2) F	10) V
3) V	11) F
4) V	12) V
5) F	13) V
6) V	14) V
7) F	15) F
8) V	

N.B. : Si vous avez répondu de façon erronée à au moins trois reprises, vous auriez avantage à relire le début du chapitre II jusqu'ici.

Connaissance de soi

Durant la semaine qui vient, détectez les moments où vous vous sentirez mal dans votre peau, tendu, contrarié, abattu ou nerveux.

Vers l'équilibre

Afin de devenir habile dans la technique de la confrontation, essayez de découvrir les idées que vous entreteniez à ce moment-là.

Chapitre III

L'anxiété et le stress

L'anxiété constitue l'une des émotions les plus stressantes éprouvées au cours d'une vie. Les nombreux termes utilisés pour décrire cette émotion, démontrent sa fréquence et son universalité: appréhension, préoccupation, peur, effroi, angoisse, horreur, panique, affolement, etc.

Les manifestations de l'anxiété

Par suite d'un danger imaginé ou réel, certaines manifestations physiques de l'anxiété peuvent être immédiates. Par exemple, votre enfant a traversé la rue sans regarder, et vous avez cru qu'il serait happé par le véhicule qui venait: votre cœur palpite, vos mains, vos jambes tremblent, ou semblent se dérober sous vous, vos mains deviennent moites, etc.

Par ailleurs, lors de certaines situations stressantes prolongées, d'autres réactions d'anxiété peuvent survenir, entre autres, l'insomnie qui en est souvent un des premiers symptômes: difficulté à s'endormir, ou réveil vers 3 ou 4 heures du matin à force de ruminer ses problèmes de vie familiale ou professionnelle. Les défaillances sexuelles ou le manque de désir ne sont pas non plus des difficultés étrangères à l'anxiété. On peut également imputer à cette émotion certains troubles digestifs qui ne sont attribuables ni à une maladie ni à une infection.

Comme l'anxiété engendre le stress, on peut tout autant la tenir responsable d'une augmentation de la tension musculaire, d'où les maux de dos, du cou ou des épaules. Si après avoir passé un examen et une radiographie, on ne décèle aucun processus dégénératif comme l'arthrose, ou on n'observe aucune anomalie médicale, telle l'hernie discale, on peut s'interroger sur l'origine de ces malaises.

Anxiété et peur

Il est primordial d'établir une différence entre l'anxiété et la peur. La peur est une émotion appropriée et utile vis-à-vis d'un danger réel : faire vérifier sa voiture avant d'effectuer un voyage démontre une prudence inspirée par une peur réaliste : un bris mécanique peut survenir et causer un accident. Dans cet exemple, l'anxiété consisterait à refuser totalement de conduire pour cette même raison.

Cette émotion peut se manifester de diverses façons. Je me souviens de Luc, un participant à mes ateliers[1]. Cet homme semblait tout avoir pour être heureux : une vie familiale harmonieuse, des conditions de travail excellentes, une santé florissante, et pourtant, il se disait stressé. En l'écoutant parler, on se rendait compte que Luc entretenait certaines idées irréalistes qui lui causaient de l'anxiété. Il était de ces personnes qui croient que, quand ça va trop bien, ça ne peut pas durer (idée douteuse), que le bonheur tôt ou tard finit par se ternir (idée douteuse), et que ce qui peut arriver arrivera nécessairement (idée fausse).

En fait, la peur de perdre son emploi même si rien ne laissait présager cette éventualité, la crainte que ses revenus de retraite soient insuffisants le moment venu, la hantise d'une crise cardiaque – son père était mort de cette façon – tous ces dangers potentiels qu'il appréhendait minaient sa vie et diminuaient son capital d'énergie et son plaisir de vivre.

J'amenai Luc à réaliser qu'il se créait du stress inutilement. Ainsi, pour faire face à ces dangers potentiels, il aurait plutôt avantage à contrôler ses dépenses pour pouvoir investir dans un fonds de retraite qui lui assurerait des revenus convenables le temps venu.

Quant à son anxiété relativement à la maladie, une bonne hygiène de vie, alliée à une visite annuelle chez son médecin, tout cela pourrait l'aider à garder la forme. Et si ces mesures préventives étaient mises en place, il accomplirait alors tout ce qui

---

1. Les noms cités sont fictifs et n'ont donc aucune ressemblance avec les confidences livrées au cours des ateliers.

est en son pouvoir pour éviter les situations qu'il craint tant puisque l'avenir est imprévisible et ne nous appartient pas. Je lui fis remarquer également que, si un jour ses appréhensions se concrétisaient, rien ne dit qu'il ne pourrait y faire face, considérant les forces insoupçonnées dont l'être humain est doté pour réagir à l'adversité.

Après avoir travaillé sur cette difficulté durant quelques semaines, Luc m'apprit que son anxiété avait diminué. Une peur tout à fait justifiée l'amena à agir concrètement pour contrôler davantage son avenir. Il prit rendez-vous avec un spécialiste en planification financière qui lui donna des conseils. Il commença à faire un peu d'exercice chaque jour, puis lentement, il améliora son alimentation. Au bout de 15 semaines, à la fin de l'atelier, Luc se sentait beaucoup moins stressé.

Cet exemple prouve que tout peut être occasion d'anxiété: le présent, le passé, l'avenir, les dangers réels, potentiels ou inexistants. Ce sentiment inhérent à la nature humaine est particulièrement répandu et fréquent, et il vient probablement de l'instinct de conservation. Il est donc «normal», «naturel».

Mais «normal» et fréquent, cela ne signifie pas avantageux ou profitable. La maladie est «naturelle» et affecte tout le monde un jour ou l'autre. Nous tentons malgré tout de nous en prémunir car elle produit un stress physiologique qui diminue notre énergie. Il en est ainsi des sentiments d'anxiété qui, même s'ils sont «normaux», engendrent un stress psychologique qui mine tout autant notre résistance. Contrairement à la peur qui nous amène à nous protéger contre des dangers réels, l'anxiété est inutile et peut même conduire à des gestes nuisibles.

Notre réaction personnelle au stress

Pourquoi certaines personnes semblent-elles avoir une propension plus marquée que d'autres à mal réagir aux différents stresseurs qui jalonnent l'existence?

Dans l'exemple précédent, pour quelles raisons Luc se préoccupe-t-il outre mesure de l'avenir, alors qu'une autre personne, dans les mêmes circonstances, réagirait avec confiance et sérénité?

Chaque être humain possède en lui-même un ensemble de caractéristiques héritées de ses parents, de ses grands-parents, voire même de l'ensemble des générations dont il est issu. En parlant de quelqu'un ne dit-on pas: «Il a le tempérament de sa mère» ou «la personnalité de son père»? Une personne de tempérament nerveux ne réagira donc pas de la même façon qu'une autre de tempérament lymphatique.

Prendre conscience de son profil psychologique permet donc à un individu de prévoir à l'avance comment, de par sa nature, il risque de réagir dans certaines circonstances. Par la suite, il lui sera plus facile d'agir en conséquence, soit en évitant ces occasions quand c'est possible, soit en apprenant à contrôler ses émotions.

Dans l'exemple précédent, on peut considérer que Luc est probablement d'un tempérament nerveux, porté à se tracasser à propos de tout et de rien. Cette tendance innée ne signifie toutefois pas qu'il soit fatalement condamné à réagir comme il l'a fait jusqu'ici. En prenant conscience de cette propension à l'anxiété, il lui appartiendra de combattre plus énergiquement les idées qui causent cette émotion.

Ce qui est acquis

Tout comme son tempérament, l'enfance d'un individu peut également influencer ses réactions futures au stress. En effet, les premières années de notre existence ont été riches en apprentissage de toutes sortes. Du bébé complètement dépendant de l'entourage que nous étions, a émergé peu à peu l'enfant, puis l'adolescent, et finalement l'adulte autonome que nous sommes devenus. Durant tout ce temps, nos parents nous ont appris à manger, à nous habiller seuls, nous ont formés à la propreté, etc. Plus tard, les professeurs ont pris la relève et nous ont enseigné à écrire, à lire, etc.

À travers toutes ces relations, nous avons appris également à voir les choses d'une certaine façon. Trop jeunes pour mener notre propre réflexion, nous adhérions à ces croyances, car elles venaient de personnes que nous aimions ou en qui nous avions pleinement confiance. Sans aucun doute, plusieurs d'entre elles influencent encore d'une façon positive notre fonctionnement actuel. Mais si nous prenons conscience que certains de ces enseignements provoquent des effets négatifs sur notre santé mentale présente, il nous appartient maintenant de les modifier.

Les écoles de pensée en psychologie ont avancé différentes hypothèses pour expliquer les comportements humains, sans toutefois parvenir à établir un consensus. La philosophie émotivo-rationnelle, quant à elle, mise davantage sur la capacité de changement d'un individu que sur toute autre théorie. Voilà pourquoi nous vous prouverons dans les pages qui viennent que, malgré votre tempérament et en dépit de toutes les influences qui se sont exercées sur vous durant l'enfance, il est possible de modifier certaines de vos croyances et, par voie de conséquence, de diminuer en intensité et en durée vos émotions les plus stressantes : l'anxiété, l'hostilité, la culpabilité et la dévalorisation.

Les idées qui causent l'anxiété

Chaque fois qu'un être humain perçoit un danger réel ou imaginaire face auquel il se croit démuni, il ressent de l'anxiété. Cette émotion est donc créée par la présence simultanée de deux idées :

1)   **Un danger me menace.**
2)   **Je suis incompétent vis-à-vis de ce danger.**

Les dangers envisagés par les êtres humains peuvent être de deux catégories :

a) physiques :   les tempêtes, les voleurs, la violence, le feu, la maladie, la mort, l'obscurité, le métro, l'avion, les accidents, les insectes, la souffrance physique, la perte éventuelle d'un emploi, etc. ;

b) psychologiques : – la perte de l'affection, de l'amour, de l'approbation, de l'estime des autres ; – l'échec ; – les conflits.

Par ailleurs, une importante source d'anxiété mérite plus particulièrement d'être soulignée : les obligations et les devoirs que l'on s'impose, les besoins que l'on se crée.

Un article sur le stress paru récemment dans *La Presse* rapporte les résultats d'expériences tentées par une équipe allemande de l'université de Trier auprès de groupes d'hommes et de femmes. « Les hommes affichent un taux de cortisol élevé à la simple anticipation de la tâche à exécuter, contrairement aux femmes dont l'anticipation n'augmente en rien leur taux de cortisol.

Les auteurs concluent que la différence observée entre les sexes ne reflète pas la moindre activité du système corticoïde des

45

femmes, mais plutôt une *réponse émotive et cognitive différente à un même contexte*, réponse qui, à son tour, influence la sécrétion de cortisol.»[1] Ceci confirme la théorie mise de l'avant par les thérapies cognitives, théorie selon laquelle les pensées causent les émotions. En ce qui a trait à l'anxiété, voyons comment il est possible pour tout être humain, quels que soient son tempérament, ses antécédents ou le sexe auquel il appartient, d'améliorer sa réponse émotive aux différents stresseurs.

La confrontation des idées causant l'anxiété

Comme toutes les autres émotions que nous examinerons plus tard, il est possible, par la confrontation, de réduire l'intensité ou la durée de cette émotion, et parfois même de l'annihiler. Pour vous y aider, vous pouvez vous poser certaines questions pour vérifier si les idées entretenues au sujet de ces dangers sont vraies (réalistes), fausses ou douteuses (irréalistes):

– De quoi ai-je peur?
– Ce danger existe-t-il vraiment?
– Est-il aussi grand que je le vois?
– Si vraiment ce dont j'ai peur se produisait, suis-je assuré que je ne pourrais rien y faire?
– Les inconvénients subis seraient-ils terribles, catastrophiques, ou tout au plus très ennuyeux?
– Suis-je certain que je ne pourrais les supporter?

En faisant ainsi le procès de vos idées, vous constaterez souvent que votre anxiété est sans fondement, ou tout au moins exagérée.

Les dangers physiques

La plupart des gens entretiennent des peurs mineures qui ne les empêchent toutefois pas de fonctionner. Ainsi on peut avoir peur de l'ascenseur, du métro, des avions, et les utiliser quand même. S'arrêter quelques minutes et confronter ses idées irréalistes, «se parler», comme on dit couramment, cela suffit souvent et vous amène à agir enfin, même si une légère crainte subsiste. Ces peurs sont peu stressantes et ne nécessitent aucun traitement.

---

1. Thibodeau, Carole. *Quand le stress épuise les ressources*, La Presse, Montréal, 8 décembre 1996.

Il en va tout autrement de l'anxiété. Elle provoque certains malaises déplaisants, modifie le comportement et peut même dégénérer en panique, créant ainsi un handicap et un stress considérables.

À preuve, une de mes connaissances craignait à tel point les moustiques, qu'elle se privait de randonnées dans certaines régions boisées magnifiques durant les mois d'été. Voir des araignées, des fourmis et des guêpes lui occasionnait un tel effroi qu'elle criait et fuyait dans toutes les directions. Un jour qu'elle conduisait sa voiture, une guêpe y pénétra et se posa sur le tableau de bord. La panique s'empara d'elle et elle causa un accident toutefois mineur. Mais elle se rendit cependant compte après cette mésaventure qu'elle avait avantage à régler ce problème. De nos jours, la psychologie moderne a heureusement développé des approches thérapeutiques pour résoudre ce genre de difficultés hautement stressantes.

La peur panique de l'avion est également embarrassante puisque si vous voulez voyager à travers le monde par plaisir ou par affaires, vous devez l'utiliser.

Guérir d'une phobie

Si vous êtes affligé de certaines peurs qui vous stressent et vous handicapent, il n'est pas toujours nécessaire de consulter un psychologue. Vous pouvez d'abord expérimenter vous-même certaines techniques de désensibilisation.

Si vous voulez réussir votre démarche, il vous faudra d'abord vous convaincre que vous n'êtes pas plus menacé qu'un autre et, malgré le malaise ressenti, vous devrez accepter par la suite d'affronter petit à petit chacune de vos peurs. Au début, vous serez sûrement stressé, ce qui ne sera pas terrible mais plus ou moins désagréable.

Si vous désirez vaincre votre peur de prendre l'avion par exemple, vous auriez avantage à utiliser la technique de visualisation. Faites quelques exercices de relaxation, puis installez-vous calmement, à l'écart des autres, et imaginez-vous chez l'agent de voyage en train d'acheter votre billet, vous rendre à l'aéroport, vous diriger vers le préposé aux bagages, puis vers le quai d'embarquement. Poursuivez ensuite votre rêve éveillé en vous voyant regagner votre siège, boucler votre ceinture, et assister calmement au décollage. En visualisant fréquemment ces images, vous vous habituerez peu à peu à l'idée de prendre l'avion.

Plus tard, dans une démarche réelle et non pas imaginée cette fois, vous vous rendrez à l'aéroport pour assister concrètement au décollage et à l'atterrissage de quelques vols. Après un certain nombre de visites à l'aérogare, pourquoi ne pas vous fixer une date en vue d'un court voyage, en compagnie d'un ami ou d'un parent, si vous vous sentez plus à l'aise ainsi? Il ne faut cependant pas vous attendre à un soulagement soudain et miraculeux. Mais d'affronter le danger vous permettra de démystifier vos peurs et de les vaincre par la suite.

D'autre part, vous pouvez aussi utiliser des films, des photos et des diapositives pour vaincre une phobie. Ainsi, la personne qui a peur des insectes, des animaux ou des oiseaux peut être encouragée à les visionner jusqu'à s'y habituer; puis elle acceptera peu à peu d'entrer d'abord indirectement en contact avec eux jusqu'à pouvoir être en leur présence. Un oiseau en cage, un chien derrière une clôture, une araignée, une fourmi ou un autre insecte dans un pot de verre, semblent moins menaçants à celui qui a peur.

Il n'est pas impossible aussi de recourir à l'intervention d'un expert comme le médecin ou le psychologue dans la mesure où la phobie persiste et qu'on ne constate aucune amélioration. Mais fort heureusement, les efforts personnels suffisent la plupart du temps.

Stratégie antistress

Vérifiez votre degré de compréhension (voir les réponses à la fin de l'exercice)

Répondez par VRAI ou FAUX aux énoncés suivants

1) La peur et l'anxiété sont des émotions identiques. _____

2) Il n'est jamais approprié d'avoir peur. _____

3) Ce qui peut arriver arrivera nécessairement. _____

4) Devant certains dangers réels, la prudence est utile. _____

5) Comme l'anxiété est une émotion «normale» il n'y a rien à faire pour la diminuer. _____

6) L'anxiété est causée par deux idées:
   1) Un danger me menace;
   2) Je suis incompétent
      devant ce danger. _____

7) Les dangers physiques sont les seuls qu'envisagent les êtres humains. _____

8) Éviter l'objet d'une peur est un bon moyen de vaincre cette peur. _____

9) L'anxiété est une émotion stressante. _____

10) Il faut toujours avoir recours à des spécialistes pour se guérir d'une phobie. _____

N.B.: Si vous avez répondu de façon erronée à au moins trois reprises, vous aurez avantage à relire le chapitre III jusqu'ici.

Réponses aux questions de «Vérifiez votre degré de compréhension»

1) F	6) V
2) F	7) F
3) F	8) F
4) V	9) V
5) F	10) F

Connaissance de soi

1) Décrivez un événement qui vous occasionne de l'anxiété dans votre vie de tous les jours.

_____

_____

2) Maintenant, posez-vous les questions suivantes à propos de ce danger que vous percevez:

a) Le danger que je vois existe-t-il vraiment? _____

_____

b) Ce danger est-il aussi grand que je le vois? _____

_____

c) Si ce dont j'ai peur se produisait, y aurait-il des choses que je pourrais faire? _____

_____

d) Sinon, est-ce que ce serait terrible, catastrophique ou plutôt très désagréable? _____

_____

e) Suis-je certain de ne pouvoir en supporter les conséquences? _____

_____

Vers l'équilibre

En imagination, affrontez l'une de vos peurs et voyez comment vous pourriez y réagir adéquatement si cela se produisait. Répétez cet exercice plusieurs fois, jusqu'à ce que vous vous sentiez à l'aise avec la situation. Allez-y petit à petit. Ne vous attaquez qu'à une seule peur à la fois.

N.B.: En vous servant de vos réponses à l'exercice «Connaissance de soi»(nos 1,2,3), si vous le désirez, pratiquez la technique de la confrontation en utilisant la page suivante.

Confrontation réalisée le _____.

A *Événement:*
   (occasion)

_____

_____

_____

_____

_____

B *Idées:*
   (cause)

_____

_____

_____

_____

C *Émotions:*
   (effet)

_____

_____

_____

_____

D *Confrontation:*

_____

_____

_____

_____

_____

E   *Nouvelles émotions:*

_____

_____

_____

_____

_____

Chapitre IV

La peur du rejet et le stress

Je veux maintenant explorer avec vous le plus grand danger psychologique dont l'être humain se sent menacé, soit celui de perdre l'amour, l'affection, l'approbation ou l'estime d'autrui, en d'autres mots: sa peur d'être rejeté. Mais il est important d'abord et avant tout de clarifier la notion selon laquelle «l'être humain a *besoin* d'être aimé pour être heureux».

L'exigence d'être aimé

Un être humain peut-il être heureux si personne ne l'aime et si tout le monde le rejette?

À cette question philosophique, on peut répondre que tous les êtres humains possèdent le *désir* inné d'aimer et d'être aimé, sauf peut-être les êtres antisociaux ou profondément perturbés psychologiquement. Ce désir n'engendre pas l'anxiété. Bien plus, selon certaines recherches, l'enfant qui se sent aimé développe mieux et plus facilement son potentiel que celui qui est rejeté. L'approche émotivo-rationnelle ne nie pas cette théorie.

L'anxiété apparaît plutôt quand une personne transforme ce désir en exigence. C'est à ce moment-là qu'elle devient vulnérable et qu'elle risque d'agir en contradiction avec ses intérêts, ou encore d'être exploitée. Imaginons la situation suivante, par exemple. Vous dites à un agent immobilier que la maison que vous venez de visiter vous plaît énormément, *qu'il vous la faut* à tout prix, *que vous en avez absolument besoin.* Ne risquez-vous pas, dans ces conditions, que le prix monte d'une façon vertigineuse, ou à tout le moins que votre pouvoir de négociation diminue?

Il en est ainsi dans votre vie. Si vous faites d'innombrables pirouettes en croyant avoir besoin de l'appréciation ou de l'estime de multiples personnes pour être heureux, non seulement vous vous orientez vers des échecs douloureux, mais vous vous engagez également à vivre un état de stress répétitif et coûteux.

Exiger et désirer, voilà deux verbes très différents l'un de l'autre. Par conséquent, les émotions qui en découlent le sont tout autant.

Le *désir* légitime d'être aimé se manifeste par des pensées comme: «J'aimerais, je préférerais, je souhaiterais ardemment que telle personne m'aime ou m'estime, mais ce n'est pas *nécessaire*. Je peux toutefois être heureux même si elle ne m'aime pas, ne m'estime pas ou même me rejette. Je détesterais que cela se produise, mais je sais pouvoir composer avec une telle situation». Ces pensées réalistes amènent la personne qui ressent ce désir à s'engager à faire des efforts raisonnables pour obtenir l'appréciation qu'elle veut, ou pour ne pas perdre celle qu'elle possède déjà. En cas d'échec, des émotions compréhensibles de tristesse et de déception feront leur apparition mais elles ne l'empêcheront pas de s'organiser pour être heureuse malgré cette frustration.

L'exigence d'être aimé se manifeste par des cognitions différentes: «Il faut à tout prix que cette personne m'aime, j'en ai besoin. Je ne peux supporter l'idée qu'elle ne m'aime guère, ou pire encore, qu'elle me rejette». Cette quête d'affection cause des émotions d'anxiété stressantes qui conduisent parfois à des actions serviles ou à des démarches à tout le moins pénibles.

L'affirmation de soi et l'anxiété

Lorsque cette émotion nous domine à ce point, nous risquons de perdre le sens de la réalité et de nous engager dans des comportements générateurs de stress, tel le manque d'affirmation de soi. Voici un schéma qui décrit comment on en arrive à adopter cette attitude (page suivante).

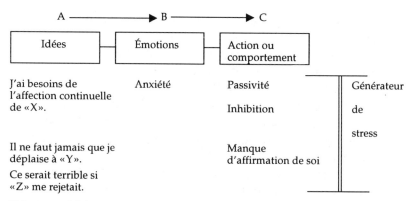

D'autres idées peuvent surgir par lesquelles la personne s'affirmera, mais avec agressivité.

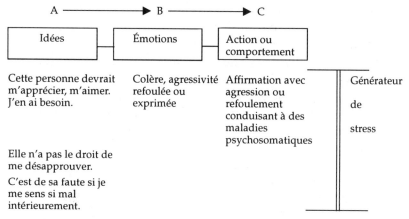

On peut attribuer à l'exigence d'être aimé les comportements non affirmatifs ou agressifs suivants:

- Anne préfère manifester vaguement ses goûts et ses désirs plutôt que de dire clairement ce qu'elle aime et ce qu'elle veut.

- Béatrice demande toujours l'avis des autres avant de se décider à agir.

- Claude n'ose jamais exprimer une opinion contraire à celle de son interlocuteur.

- Diane ne demande pas la collaboration de Jacques pour les travaux ménagers prétextant qu'il devrait se rendre compte par lui-même qu'elle en a trop sur les épaules.

- Éric n'ose pas dire «non» aux demandes exagérées de ses enfants.

- François ne se décide pas à dire à un collègue de travail de cesser de le dénigrer auprès de ses autres compagnons, alléguant que ça ne donnera rien.

- Guillaume ne veut pas parler à Mylène du conflit qui les oppose. Il préfère agir comme si celui-ci n'existait pas.

- Hubert ne dit rien, face à une vague critique de son patron, plutôt que de lui demander de préciser ce qu'il veut dire.

- Isabelle aime mieux se taire, devant des critiques non fondées de son conjoint, objectant vouloir la paix.

- Jeanne, en réponse à une simple remarque de sa mère, se met en colère et lui dit que ça ne la regarde pas.

- Kim n'ose jamais dire à son copain quel film elle aimerait voir. Elle le laisse toujours décider.

- Lyne n'ose pas entrer dans un groupe de discussion déjà formé. Elle a peur de déranger.

- Martin aime mieux se taire dans une réunion d'amis. *Ainsi, pense-t-il, j'évite de dire une connerie.*

- Nicole n'ose pas prendre la défense des personnes qu'on dénigre durant leur absence, même si elle est en désaccord avec ce qu'on dit.

- Olivier ne se décide pas à mettre cartes sur table devant les exigences de ses parents. Il préfère claquer la porte ou bouder.

- Pierrette laisse ses grands enfants décider ce qui est bon pour elle.

- Robert est réticent à faire des remarques à certains employés dont le travail est insatisfaisant.

- Sébastien se laisse marcher sur les pieds par des personnes qui veulent gérer sa conduite.

- Thérèse feint d'être indifférente à une situation alors qu'elle en est mécontente. Elle serre les dents et refoule.

- Ursule n'ose pas demander à son frère de lui remettre l'argent qu'il lui a emprunté et dont elle aurait maintenant besoin.

- Vincent se tait devant son fils qui ridiculise ses valeurs.

- Wilfrid ne se décide pas à dire à son voisin de palier que sa musique est trop forte et l'empêche de dormir.

- Xavier a peur de déplaire à son père et préfère suivre ses conseils plutôt que d'agir comme il l'entend.
- Yves n'ose pas poser de questions à un vendeur sur des appareils électriques qu'il n'est pas certain d'acheter.
- Zénon ne cesse de s'excuser à propos de tout et de rien.

Après avoir pris connaissance de cette nomenclature, nous pouvons conclure que les attitudes passives conduisent à la frustration et empêchent l'individu de s'épanouir et d'exprimer son identité. Victime de son inhibition, il subit alors un stress répétitif parfois plus dommageable que certains stress violents mais de courte durée. Selon certains médecins, sa présence jour après jour peut conduire à long terme à des maladies psychosomatiques.

Origine de ce concept

Le concept de l'affirmation de soi est apparu vers 1967. Mal compris au début, on en vint à la conclusion que les techniques proposées à l'époque dans certains volumes ne faisaient qu'attiser le feu de l'agressivité. Aujourd'hui, l'affirmation de soi est interprétée différemment. «S'affirmer, c'est exprimer avec précision et spontanéité nos goûts, nos désirs, nos opinions, nos émotions et nos intentions. C'est donc se révéler à l'autre et, par le fait même, prendre le risque que notre interlocuteur ne soit pas d'accord avec nous, et reconnaître qu'il en a parfaitement le droit. C'est aussi, à ce moment, être capable d'écouter son point de vue et de s'ouvrir à ses idées.[1]»

Je ne donne ici qu'un bref aperçu de cette attitude puisque j'ai déjà traité de l'affirmation de soi dans un volume précédent auquel vous pouvez référer, *Communiquer: un art qui s'apprend*.

L'influence de la culture

Certaines de nos croyances proviennent de notre enfance, mais la culture dans laquelle nous baignons n'est pas non plus étrangère à notre façon de penser et d'agir.

Ainsi, il faut remonter loin en arrière pour expliquer les différents aspects du comportement social de l'homme et de la femme des années actuelles. Cette investigation accomplie, il est

---

1. Langevin Hogue. Lise *Communiquer: un art qui s'apprend*, Les éditions Un monde différent, Saint-Hubert, 1986.

plus facile de comprendre pourquoi un certain nombre de femmes se plaignent de leur difficulté à s'affirmer dans leurs relations affectives et surtout familiales.

Avant les années soixante, peu de femmes travaillaient à l'extérieur du foyer. Ménagère, mère, éducatrice à plein temps, tel était plutôt leur rôle. Dès lors, en contact constant avec les enfants, elles développèrent des qualités de douceur, de patience, d'attention aux autres. En fait, l'hégémonie d'une culture masculine perpétuait ces attitudes depuis toujours.

Bien entendu, les choses ont bien changé depuis mais, même si presque quarante ans se sont écoulés, il semble pourtant que les préjugés entretenus à cette époque soient encore bien présents dans l'esprit de plusieurs personnes : « Les *vraies* femmes sont douces, gentilles, patientes, à l'écoute des besoins d'autrui. Elles sont généreuses, s'oubliant pour les personnes qu'elles aiment». La société entière, y compris les femmes, a longtemps interprété ces comportements culturels comme faisant partie intégrante de l'hérédité biologique du sexe féminin.

Voilà pourquoi l'affirmation de soi semble pour certaines femmes une entreprise aléatoire. Elles croient qu'en s'affirmant, elles perdront leur féminité et les avantages qui s'y rattachent, c'est-à-dire l'estime de ceux qu'elles aiment. Plutôt que de courir ce risque, certaines d'entre elles adoptent des comportements passifs, générateurs de stress, et ennemis de leur épanouissement. La plupart du temps, elles s'affirment dans la carrière qu'elles mènent, mais se disent incapables d'en faire autant dans leurs relations affectives et surtout familiales.

C'est ainsi qu'elles persistent à répondre aux exigences de leur entourage, souvent mal à l'aise de dire «non». Pour combler ces attentes, elles s'imposent alors d'être des «super femmes», c'est-à-dire de bonnes épouses, de bonnes mères, de bonnes travailleuses, se plaçant ainsi dans des situations stressantes qui les conduisent fréquemment au «burnout».

Si les femmes veulent s'affirmer davantage, elles devront donc cesser de se représenter l'approbation et l'estime de leur entourage comme une denrée essentielle dont elles ne peuvent se passer, même temporairement. Être appréciée est certes agréable et utile, mais il est important de s'interroger sur le prix à payer parfois pour obtenir la satisfaction de ce désir.

L'expression des émotions chez l'homme

De par leur position sociale, les hommes semblent avoir été longtemps davantage favorisés. On ne peut le nier, mais en abordant la problématique par rapport au stress, les conclusions ne sont pas aussi évidentes. Les hommes, tout comme les femmes, ont été éduqués selon les valeurs qui prévalaient à cette époque. Ainsi, un petit garçon ne devait pas pleurer et il devait être fort et courageux. Devenu homme, on exigeait de lui qu'il ne dévoile jamais ses faiblesses, sans quoi il risquait de voir sa virilité mise en doute. Au moment même où le sexe masculin récoltait les avantages du pouvoir, il n'était donc pas question pour les hommes d'exprimer leurs peurs, leurs angoisses ou leurs peines, révélant ainsi leur vulnérabilité.

Même si la culture et les attitudes sociales ont grandement évolué depuis, il n'est pas étonnant de constater que beaucoup d'hommes ont encore de la difficulté à exprimer leurs émotions et à se confier. La plupart d'entre eux perpétuent encore le modèle qui leur a été proposé à l'époque.

Pourtant, malgré leur éducation, ils auraient intérêt à extérioriser davantage leurs émotions car le fait de se vider le cœur, et même de pleurer, fait souvent baisser la pression. Les psychologues affirment qu'il est important d'avoir quelqu'un à qui on peut tout raconter, et ils soutiennent que ceux qui n'ont pas de support moral et affectif sont plus vulnérables au stress.

Comme on peut le constater, certains préjugés sont tenaces. Il n'en demeure pas moins que c'est à chacune des femmes et à chacun des hommes qu'incombe la tâche de les vaincre.

À l'aube de ce XXIe siècle, on peut considérer que les femmes s'affirment de plus en plus et que les hommes commencent timidement à exprimer leurs émotions et à se confier. Ils ont avantage à poursuivre leurs apprentissages réciproques, compte tenu de la valeur antistress de ces deux comportements.

Stratégie antistress

Vérifiez votre degré de compréhension (voir réponses à la fin de l'exercice).

Répondez par VRAI ou FAUX aux énoncés suivants

1) L'exigence d'être aimé, apprécié, estimé, conduit à l'anxiété. _____

2) Tout être humain désire être aimé. _____

3) Désirer et exiger, c'est la même chose. _____

4) Il est impossible de vivre heureux sans l'affection des personnes importantes pour soi. _____

5) Il peut être plus difficile d'être heureux quand on perd l'affection de ceux qu'on aime. _____

6) Être rejeté est désagréable. _____

7) Être rejeté est insupportable. _____

8) On risque de se laisser manipuler et exploiter quand on croit avoir absolument besoin de quelque chose ou de quelqu'un. _____

9) La passivité et l'inhibition sont des comportements générateurs de stress. _____

10) S'affirmer avec agressivité ne génère aucun stress. _____

Réponses de l'exercice «Vérifiez votre degré de compréhension»

1) V	6) V
2) V	7) F
3) F	8) V
4) F	9) V
5) V	10) F

N.B.: Si vous avez répondu de façon erronée à au moins trois reprises, vous auriez avantage à relire le début du chapitre IV jusqu'ici.

Connaissance de soi

Consigne:

A. Après chaque énoncé, indiquez par un chiffre votre degré de difficulté dans ce domaine:

1. Presque jamais

2. Quelquefois

3. Souvent

4. Presque toujours

B. Faites le total de vos points

Résultat: Plus votre total est élevé (maximum 60) mieux vous vous affirmez.

1. J'exprime sans détour mes goûts, mes désirs, mes intentions.
2. Je peux prendre une décision réfléchie même si je sais que je déplairai.
3. J'exprime aisément mon opinion dans un groupe même si elle est différente des autres.
4. Je demande facilement un service, un renseignement ou la collaboration de quelqu'un.
5. Je suis capable de dire «non».
6. Je peux demander à quelqu'un de changer un comportement si celui-ci me cause des inconvénients
7. Je préfère régler un conflit rapidement plutôt que de laisser traîner les choses.
8. Je parviens à reconnaître mes erreurs et à ne pas me fâcher devant des remarques ou des critiques vraies.
9. Je demande à m'expliquer devant des accusations ou des critiques injustifiées.
10. J'exprime mon mécontentement à la personne concernée plutôt que de faire comme si tout allait bien.
11. J'exprime mon mécontentement à la personne concernée plutôt que d'en parler à une tierce personne.
12. J'entre sans peine en contact avec les gens.
13. J'entretiens facilement une conversation.

61

14. Je suis capable de défendre mes «droits» calmement.

15. Je suis capable de rester calme et de ne pas protester devant une personne en colère.

Vers l'équilibre

Après avoir rempli le tableau sur l'affirmation de soi, vous avez maintenant une idée plus précise des difficultés que vous avez dans ce domaine. Au cours des prochaines semaines, notez les situations où vous ne vous serez pas affirmé, trouvez le comportement que vous aimeriez adopter à l'avenir, et pratiquez-le.

N.B.: Si vous tentez actuellement de régler un autre problème qui vous cause du stress, ne vous attaquez pas immédiatement à celui de l'affirmation de soi. Il est important de ne pas vous engager dans trop de changements à la fois. N'oubliez pas que, bien gérer son stress est le travail de toute une vie. Donc quand le problème que vous tentez de régler en ce moment sera résolu, vous pourrez vous attaquer à votre difficulté à vous affirmer.

Chapitre V

La peur de l'échec et le stress

Dans le cadre de notre réflexion sur le stress psychologique, nous avons vu que la perte de l'amour, de l'affection, de l'appréciation ou de l'estime d'une personne importante pour soi, semble la peur la plus fréquente et la plus courante. Elle engendre un stress négatif et conduit à des comportements inadéquats. Pour faire suite à ces considérations, il semble opportun d'examiner maintenant une autre peur fort répandue, également génératrice de stress: l'échec.

Nombreux sont ceux qui, tourmentés par cette crainte, évitent d'entreprendre quelque projet que ce soit, si celui-ci comporte le moindre risque de conséquences négatives. C'est donc dire qu'ils se contentent d'une vie plutôt terne, peut-être exempte d'erreur, mais également dépourvue de stress positif qui accompagne toute réalisation. Car ne nous méprenons pas, l'excès de stimulation fait naître le stress, mais l'ennui en fait tout autant. D'où l'importance de rechercher l'équilibre.

La prise de décision

Il est une peur intimement liée à la peur de l'échec, c'est la peur de se tromper. «*Que dois-je choisir? S'il fallait que je fasse une erreur...*» Ceux qui entretiennent ces idées ressent un stress quasi perpétuel car la vie nous offre de multiples occasions de faire des choix et de prendre des décisions. Ils hésitent même s'il s'agit de décisions routinières. «*Faut-il acheter ce téléviseur plutôt que celui-ci? Dois-je faire ceci ou plutôt cela?*» Ils s'informent à droite et à gauche, changent d'idée et remettent de jour en jour leur décision, comme si le sort du monde en dépendait. La peur de se tromper, de regretter leur choix et de s'en blâmer par la suite, les amène à tergiverser, perdant ainsi un temps précieux tout en leur créant un stress supplémentaire.

En vérité, il est normal d'hésiter et de peser le pour et le contre chaque fois que l'enjeu est de taille. Ainsi, décider de changer de travail, d'acheter une maison ou encore de divorcer, tout cela comporte des risques beaucoup plus sérieux que de choisir d'aller dans tel restaurant plutôt que dans tel autre. L'inquiétude inhérente à tout choix important peut donc s'avérer utile, si cette émotion amène à réfléchir et évite de faire des faux pas. Mais après mûre réflexion, mieux vaut trancher et agir.

L'indécision et ses désavantages

Les désavantages de l'indécision sont multiples. Ainsi, un problème irrésolu viendra nous hanter fréquemment, brûlera une forte dose d'énergie, et parfois même nous privera du sommeil réparateur dont nous aurions tant besoin pour poursuivre d'autres objectifs.

De plus, reporter une décision nous fait parfois rater une occasion que nous regrettons plus tard de ne pas avoir saisie en temps opportun. Si vous avez peine à décider à savoir si vous êtes de taille à occuper tel poste affiché, vous risquez qu'une autre personne plus sûre d'elle-même le comble avant vous. « *J'aurais donc dû me décider* », direz-vous peut-être par la suite. À votre frustration initiale s'ajoutera alors le stress de la culpabilité, et peut-être même celui de la dévalorisation.

Il est également important de considérer que l'habitude d'user de faux-fuyants plutôt que de se prononcer sans ambiguïté, tout cela crée de l'incertitude autour de soi. Par ailleurs, ces atermoiements représentent souvent des occasions d'impatience, et parfois même d'hostilité chez ceux qui aimeraient une réponse rapide, claire et précise. C'est pourtant ce que l'indécis souhaite éviter à tout prix.

Dans la plupart des cas, mieux vaut donc mettre fin à l'hésitation et opter pour la solution qui nous semble la plus judicieuse, plutôt que de laisser perdurer l'indécision. Dans cette optique, nous évitons aux autres tout comme à nous-même un stress inutile.

Les causes de ce comportement

Il peut arriver qu'un trop grand nombre de décisions à prendre, dans un laps de temps relativement court, explique le manque de vivacité d'une personne à réagir. La fatigue intellectuelle l'empêche de traiter adéquatement les informations qu'elle possède au sujet du problème à régler. Cette attitude révèle que cette personne a franchi la phase d'épuisement. À moins de changer sa façon de vivre, elle s'achemine allégrement vers le surmenage professionnel ou vers une autre maladie psychosomatique.

Mise à part cette situation extrême, on peut toutefois affirmer qu'à l'instar de tous les autres comportements déficients, la difficulté à prendre une décision, résulte des émotions, qui elles, émanent des pensées, des croyances telles que celles-ci:

«Je *dois* réussir, il le *faut* à tout prix.»

«Échouer serait terrible.»

«Un échec prouverait que je ne vaux rien.»

Si vous voulez vaincre votre habitude de tergiverser, l'examen de ces cognitions s'impose d'abord.

Ainsi, *désirer* réussir est tout à fait légitime et génère un cortège d'émotions agréables: joie, plaisir, enthousiasme. Mais dès que ce *désir* est transformé en obligation: «Je dois réussir, il le faut à tout prix», l'anxiété apparaît et prive du plaisir qui accompagne la mise sur pied et la réalisation d'un projet. De plus, cette émotion nuit à la créativité qui, parfois, permet de trouver des solutions fort originales à certains problèmes qui risquent de surgir en cours de route.

Cette tendance à retarder le moment de la décision peut également s'expliquer par l'exagération des conséquences qu'un échec entraîne. En effet, plutôt que de le considérer comme une expérience déplaisante et parfois même pénible, on le traite comme une calamité à éviter à tout prix: «Échouer serait terrible». Pourtant, l'échec n'est en général rien de plus qu'un revers passager, nous permettant souvent de tirer des leçons pour l'avenir.

À cette habitude de dramatiser s'ajoute celle de se considérer comme un imbécile, un «bon à rien» si l'échec se concrétise. L'insuccès devient alors synonyme de déchéance totale, et c'est la déprime. Cette notion de «valeur personnelle» cause de profonds malaises psychologiques et peut expliquer pourquoi certaines personnes s'empêchent d'agir, de foncer et de réaliser des projets qui les intéressent pourtant.

Il arrive souvent que les journaux et certaines revues spécialisées nous vantent les succès des gens d'affaires. Si l'on jette un coup d'œil rétrospectif sur leur carrière, on découvre pourtant que plusieurs d'entre eux n'en sont pas à leur première tentative, car ils ont souvent fait faillite, parfois même à trois reprises avant de trouver le bon filon qui les mènera à la réussite. Ces personnalités du monde des affaires ne se formalisent pas outre mesure de ces déboires passés et rien ne semble freiner leur goût du risque. Sont-ils issus d'une race à part? Non, ces entrepreneurs s'abstiennent tout simplement de confondre leur «personne» et leurs «actes». C'est ainsi qu'ils réussissent à ne pas se sous-estimer et à éviter ainsi la dépression.

Bien entendu, ils ont sûrement vécu un stress important découlant des nombreuses tracasseries administratives inhérentes à leurs expériences néfastes. Durant un certain temps, la déception, le regret et la tristesse ont aussi fait partie de leur quotidien. Mais, c'est grâce à leur absence de dévalorisation personnelle ou du moins à leur capacité de surmonter cette émotion, qu'ils ont osé affronter de nouveaux défis pour connaître enfin le succès.

La ténacité, clé de la réussite

Aux Jeux olympiques d'Atlanta en 1996, que serait-il arrivé à la plongeuse Annie Pelletier si elle n'avait pas eu cette ténacité et cette détermination qu'on lui connaît? En effet, avant même l'ouverture des Jeux, tout le monde la voyait déjà sur le podium. Puis, viennent les épreuves de qualifications. De toutes les plongeuses, seules les 19 premières seront retenues pour la deuxième vague. De peine et de misère, Annie se classe 19e. Tout au cours des épreuves, elle se classera toujours de justesse pour finalement se retrouver sur le podium à la grande joie de tous ses admirateurs.

Et que dire du montréalais Nicolas Gill? Perçu au niveau mondial comme étant parmi les meilleurs, sinon le meilleur judoka de sa catégorie, Nicolas perd son premier combat en l'espace de quelques secondes. Adieu podium, adieu médaille. Abattu, grandement déçu, il visionne toutefois son bref combat, l'analyse et détecte toute la stratégie de son adversaire. Après ce cruel échec, plutôt que d'abandonner, il reprend l'entraînement et, grâce à sa ténacité, il redevient l'aspirant mondial numéro un pour remporter la médaille d'or aux prochains Jeux olympiques.

Des défis à notre portée

Ce n'est jamais un drame d'échouer mais, comme tout le monde n'a pas les mêmes talents, il est préférable de se fixer des objectifs réalistes. Des buts inaccessibles occasionnent souvent de la déception et du désenchantement, des sentiments générateurs de stress.

Attention toutefois d'invoquer cette raison pour justifier votre inertie. Le plus souvent, il n'est guère question d'un manque d'aptitudes mais plutôt de la piètre opinion qu'on a de soi-même. Les capacités sont nombreuses mais la peur empêche d'ouvrir les vannes de ce réservoir. Gardez d'ailleurs en mémoire que le risque d'échec est certes inhérent à l'action mais que le succès loge aussi à la même enseigne.

Le plan d'action

L'échec est souvent le résultat d'un manque de planification. On se fixe un but lointain, sans préciser au départ les orientations à prendre pour l'atteindre. «À ne pas trop savoir où vous allez, vous n'irez nulle part», dit le proverbe. Que diriez-vous d'un professeur sans plan de cours ou d'un joueur de bridge qui ne planifierait pas son jeu? Prenons l'exemple de Sophie.

Cette jeune fille aspire à devenir professeure d'histoire. Cette matière la passionne, mais sa difficulté à s'exprimer devant un groupe la fait hésiter à embrasser cette carrière. Jusqu'à ce jour, ses exposés devant ses compagnons et compagnes de cégep n'ont pas remporté un grand succès. À quelques reprises, elle a même donné la maladie comme raison pour éviter de parler en public. Sophie dit que dès qu'elle doit prendre la parole devant un groupe, des crampes d'estomac la tenaillent, un trac fou l'envahit, elle perd totalement le fil de ses idées, bafouille, et se retrouve au bout du compte sur son siège avec le sentiment accru d'être de plus en plus humiliée.

C'est devenu un cercle vicieux: plus Sophie est stressée, moins elle réussit, et moins elle réussit, plus elle est stressée. Mais cette étudiante n'est pas seule dans cette situation. Des gens d'affaires, des cadres, des présidents d'entreprise, donneraient une petite fortune pour acquérir la capacité de s'exprimer facilement en public. Ils sont tous imprégnés des mêmes croyances qui les empêchent de vaincre cet handicap. Examinons-les.

Idées

1) «Tant que j'aurai le trac, je ne réussirai pas à parler en public (anxiété).»

2) «S'il fallait que je perde le fil de mes idées, ce serait terrible (anxiété).»

3) «Les gens riraient de moi si ça se produisait, et je ne pourrais pas le supporter (anxiété).»

4) «Si j'échouais, ça prouverait que je suis un incompétent (dévalorisation).»

5) «Je ne réussirai jamais à surmonter cette difficulté (découragement).»

Par des questions appropriées, faisons le procès de ces idées, en d'autres mots, confrontons-les. Nous en viendrons aux idées réalistes suivantes:

1) «Je peux parler en public même si j'ai le trac. Tout le monde ou presque l'éprouve un peu avant d'adresser la parole à un groupe. Il s'agit simplement d'apprendre à le surmonter.»

2) «Si ça se produisait, je pourrais me référer à de courtes notes préparées. Et même si j'avais un trou de mémoire total, ce serait très désagréable, mais ce ne serait pas la fin du monde. Si je veux vaincre cette peur, je n'ai pas d'autre choix: personne ne peut apprendre à parler en public sans s'adresser à un auditoire.»

3) «C'est possible que certaines personnes rient de moi, mais ce n'est pas sûr. Je détesterais que ça se produise, mais ce ne serait pas une catastrophe. C'est parfois le prix à payer pour apprendre.»

4) «Je peux manquer mon coup lors de ces expériences comme je peux aussi réussir à améliorer petit à petit ma performance. Si j'échouais, ça prouverait simplement que je suis un être humain imparfait.»

5) «Même si je n'ai pas réussi jusqu'ici, rien ne prouve que je ne vaincrai pas cette difficulté surtout si j'y mets des énergies.»

En se démontrant fréquemment que les idées contenues dans sa confrontation sont conformes à la réalité, Sophie devrait se sentir de moins en moins anxieuse. Malgré sa peur, il est temps pour elle de rédiger son plan d'action et de se mettre au travail.

Plan d'action de Sophie

1. Objectif principal

Parler avec aisance devant un groupe	Échéance: Entre le 10 sept. et le 20 mai

2. Objectifs secondaires (mini-objectifs)		**3. Démarches, actions à entreprendre** (micro-objectifs)		**4. Échéance**
2.A	M'inscrire dans un comité d'étudiants où j'aurai à donner mon opinion.	3.A	Détermier le comité qui me convient. Me rendre au local de ce comité et offrir mes services comme bénévole. Donner mon opinion au moins une fois lors de la première réunion.	4.A	10 sept. 15 sept. 30 sept.
2.B	Observer les gens qui s'expriment facilement en public.	3.B	Sélectionner les meilleurs animateurs à la télé et les regarder régulièrement. Assister à des réunions politiques de jeunes et les observer. Tenter de m'adresser à l'auditoire une fois lors de ces réunions.	4.B	30 octobre 30 nov. 21 déc.
2.C	Préparer l'exposé de fin d'année.	3.C	Rassembler mes notes, classer mes idées. Rédiger. Parler de mon sujet à des amis et demander leurs commentaires. Revoir mon exposé et faire des fiches. Me filmer sur vidéo.	4.C	1er février 10 mars 15 mars 15 avril 30 avril

Les avantages du plan d'action

On peut retirer des bénéfices majeurs du plan d'action. Ainsi, en se fixant des sous-objectifs précis et en les respectant, la personne peut graduellement prendre confiance en elle. De plus, tous ces petits gestes qu'elle posera lui apporteront une dose de stress positif qui lui donnera de l'énergie pour continuer.

Un autre avantage non négligeable que retire l'utilisateur du plan d'action, c'est de l'obliger à s'arrêter pour faire le point. C'est ainsi qu'il pourra vérifier si sa démarche est conforme à l'objectif visé. Et si les circonstances ont changé depuis, cette réflexion l'amènera à revoir son projet initial ou à l'adapter. N'est-ce pas ce que font les entraîneurs sportifs?

De plus, avec des échéances précises à respecter, la personne concernée évite de tomber dans le piège de la négligence. En effet, que de fois utilisons-nous certains prétextes pour remettre à plus tard ce que nous aurions avantage à faire maintenant:

– Ranger le sous-sol en désordre.
– Vérifier et remplacer s'il y a lieu les piles du détecteur de fumée.
– Faire examiner la voiture, on y perçoit un bruit bizarre.
– Faire traiter la rouille avant que la carrosserie ne soit perforée.
– Mettre de l'ordre dans les nombreux papiers empilés sur le bureau.

La liste peut se multiplier au même rythme que les raisons invoquées:

«C'est important mais ça peut attendre.»
«Je n'ai pas le goût aujourd'hui.»
«C'est trop difficile, trop long.»
«C'est trop pénible, trop déplaisant...»
«Ce n'est pas si urgent...»

Bien entendu, si nous nous rendons compte de notre responsabilité quant à des inconvénients sérieux survenus faute d'avoir exécuté certaines tâches que nous remettions constamment à plus tard, il n'est pas impossible que nous nous sentions coupables. Ces petits stress émotionnels souvent répétés, entraînent des effets plus ou moins dommageables, selon la sensibilité de chacun. D'où l'importance de les éliminer.

Les échecs graves

Que ce soit sur le plan familial, professionnel ou social, tout le monde, un jour ou l'autre, essuie un échec plus ou moins important. Pourtant, certains d'entre eux sont si pénibles, qu'on pense ne jamais pouvoir s'en relever. Au moment où on les vit, ils nous semblent tellement catastrophiques, voire même totalement injustes.

En fait, un échec grave nous fait parfois réaliser que nous avons mis tous nos œufs dans le même panier, et nous devons en payer désormais le prix: une relation de couple chancelante, l'absence de liens affectifs profonds avec nos enfants, et quelquefois même une santé précaire, causée par le stress accumulé au cours de cette course effrénée vers la réussite. Ce sont là les ingrédients propices à l'apparition de sentiments de culpabilité douloureux et destructeurs: «Si j'avais su...» ou «J'aurais donc dû...» La douleur morale devient parfois plus difficile à supporter que les ennuis inhérents à cet échec.

D'où l'importance de varier ses objectifs. À preuve, ceux qui s'adaptent le mieux à un échec, sont ceux qui ont su équilibrer leur vie professionnelle, familiale et sociale. Grâce à cet équilibre harmonieux, ils ne sont pas désarmés lors des moments de désarroi. Ils peuvent ainsi rechercher du réconfort auprès de personnes aimées en qui ils ont confiance.

Trop souvent cependant, après un échec cuisant, certains s'isolent et se replient sur eux-mêmes. La peur d'être jugé ou la crainte de ternir leur image les amène à dissimuler leur échec, se privant ainsi du support moral qui les aiderait à traverser cette épreuve.

Stratégie antistress

Vérifiez votre degré de compréhension (voir réponses à la fin de l'exercice).

Répondez par VRAI ou FAUX

1. La peur de se tromper et de se blâmer par la suite explique parfois notre indécision. _____

2. Se tromper est parfois terrible. _____

3. Il est normal d'hésiter quand l'enjeu est de taille. _____

4. Échouer est dévalorisant. _____

5. L'échec est toujours négatif. _____

6. L'échec dépend parfois d'un manque de planification. _____

7. L'anxiété et la fatigue intellectuelle nuisent à la prise de décision. _____

8. Se fixer des échéances précises nous préserve de la négligence. _____

9. La négligence risque de nous causer du stress. _____

10. Les petits stress psychologiques n'ont aucun effet dommageable. _____

Réponses à l'exercice «Vérifiez votre degré de compréhension».

1. V	6. V
2. F	7. V
3. V	8. V
4. F	9. V
5. F	10. F

N.B.: Si vous avez répondu de façon erronée à au moins trois reprises, vous auriez avantage à relire le chapitre V jusqu'ici.

Connaissance de soi

1. Êtes-vous tourmenté actuellement à propos d'une décision que vous auriez avantage à prendre dès maintenant?

    _____

    _____

    _____

    _____

    _____

2. Y a-t-il des tâches que vous négligez d'accomplir et qu'il vaudrait pourtant mieux faire?

    _____

    _____

    _____

    _____

    _____

3. Quelles sont vos raisons de remettre ces tâches à plus tard?

    _____

    _____

    _____

    _____

    _____

4. Après mûre réflexion, pensez-vous que ces raisons soient encore valables?

    _____

    _____

    _____

    _____

    _____

Vers l'équilibre

Comme démarche initiale, pour régler votre difficulté à prendre la décision dont vous avez parlé au numéro 1:

a) Cochez parmi les idées suivantes celles que vous entretenez.

b) Dites si elles sont vraies, fausses ou douteuses.

c) Dans l'espace prévu à cet effet, confrontez-les.

Idées:

a) «S'il fallait que je me trompe, que je prenne une mauvaise décision, ce serait terrible.»

_____

_____

_____

b) «Si j'échouais ou si je me trompais, ce serait la preuve que je ne suis pas futé, pas intelligent, etc.»

_____

_____

_____

c) «Il me faut trouver la bonne solution avant d'agir.»

_____

_____

_____

Chapitre VI

La peur du conflit et le stress

Pour la plupart des gens, les conflits interpersonnels représentent une situation des plus stressantes. Et ils sont monnaie courante car les décisions à prendre et les désirs à satisfaire supposent souvent la collaboration d'autres personnes, et parfois même exigent leur assentiment. C'est pourquoi les conflits interpersonnels sont fréquents. Que faire alors si nos désirs ou nos projets personnels sont en contradiction avec les leurs? Voici quelques exemples:

• Vous aimeriez changer votre plan de carrière, mais cette décision imposerait une baisse temporaire des revenus familiaux. De son côté, votre conjoint a manifesté le désir d'acheter une maison dès cette année, pour profiter des subventions offertes.

• Vous habitez avec un copain et vous aimeriez décorer la maison. Votre colocataire ne partage pas vos goûts et voudrait l'aménager autrement.

• Au travail, vous ne vous entendez pas avec un collègue sur le partage des tâches.

Comme vous le constatez, ces différentes situations à conséquences plus ou moins importantes, constituent pourtant des possibilités de conflits.

Le conflit et le stress psychologique

Par peur de soulever un conflit, certains renoncent même à leurs désirs ou à leurs projets, dès la moindre contestation. Cette attitude répétée provoque malheureusement à la longue des sentiments d'anxiété et de colère, engendrant le stress psychologique.

Le conflit n'est pourtant pas une catastrophe à éviter à tout prix, bien au contraire. Nier son existence ou capituler trop facilement par peur de briser une relation, risque davantage de mettre celle-ci en péril, car qui agit de cette façon attribue souvent ses frustrations à l'autre et lui en garde rancune.

Certains refusent aussi d'exprimer des désirs conflictuels pour éviter de se sentir coupable. Ne nous a-t-on pas appris, enfant, qu'il est égoïste et mesquin de satisfaire ses «besoins», mais plutôt généreux de nous oublier pour les autres? Le malheur, c'est que nous y croyons encore et nous nous empêchons ainsi d'exprimer nos désirs de peur de contrarier les autres.

D'autre part, des idées comme «ça ne donnera rien, je serai perdant de toute façon» génèrent des sentiments d'impuissance qui complètent souvent le tableau de l'immobilisme.

Dominant-dominé

Évidemment, certaines conditions doivent être respectées pour régler un conflit sans faire de perdant. Ainsi, si vous êtes la personne ayant le plus d'autorité, vous auriez avantage à ne pas utiliser votre pouvoir pour régler cette dissidence mais à discuter plutôt avec équité pour trouver des solutions convenant aux deux parties. Car en imposant vos idées, vous risquez grandement devant l'abattement, la déception ou la colère de celui que vous aurez dominé, de ressentir des sentiments d'anxiété et de culpabilité désagréables. D'autre part, c'est une stratégie plutôt malhabile pour le dominant d'agir ainsi, car comment escompter créer, dans de telles circonstances, une étroite collaboration entre le parent et l'enfant, le maître et l'élève, ou le patron et l'employé?

Le conflit patron-employé

Les conflits sont particulièrement fréquents en milieu de travail. Le cadre soumis à de fortes pressions pour atteindre des objectifs parfois très élevés, ressent un stress intense qui l'amène à exercer la même contrainte sur ses employés. Si, par surcroît, cette personne est anxieuse, elle profitera de sa situation de dominant pour régler les conflits.

Julien agit de cette façon. Directeur d'une entreprise, il ne prend pas au sérieux les insatisfactions manifestées par ses employés. Il a acquis au cours des années une réputation d'intransigeance, voire même de despotisme. La haute direction le tient pourtant en grande estime, et cautionne donc entièrement ses décisions sans même les vérifier. On lui fait confiance les yeux fermés.

Julien occupe ce poste depuis cinq ans. Bon travailleur, il a franchi un à un les échelons de la hiérarchie. Pour les relations interpersonnelles par contre, il a peu de talent et son arrogance occasionne souvent du mécontentement au sein du personnel. Une mésentente au sujet du travail le dimanche fait éclater ce conflit latent.

Esther, une employée, est acculée au pied du mur par son conjoint qui ne supporte plus de la voir travailler chaque week-end. Il objecte l'absence de vie familiale et sociale. «Ou bien tu laisses ton emploi, ou bien nous nous séparons.» Et c'est sérieux! son conjoint en a vraiment ras-le-bol!

Esther décide donc de rencontrer le directeur pour tenter de trouver un compromis. Mais comme les professionnels de la vente ont déjà suggéré que chacun travaille à tour de rôle un dimanche sur deux et que Julien, fort de son autorité, a carrément refusé d'en discuter, elle doute bien sûr du succès de sa démarche. Elle n'est donc pas étonnée que sa demande reçoive un «non» catégorique et sans appel. Elle est par conséquent contrainte de donner sa démission pour préserver sa relation de couple.

C'est dans cette optique qu'elle fait parvenir sa lettre à la haute direction, une copie conforme envoyée au directeur, afin d'agir en toute honnêteté. Tout en expliquant les raisons de son départ, elle décrit le climat malsain qui prévaut au sein de l'entreprise.

Esther a toujours été une employée sérieuse et efficace; elle n'a nullement la réputation de faire des déclarations à la légère, aussi le président-directeur général décide-t-il de faire sa propre enquête. Il découvre alors une situation conflictuelle, à la source peut-être du départ de plusieurs employés et du manque de motivation si souvent invoqué par Julien pour justifier la baisse des ventes de la dernière année. Il décide donc, après analyse du problème, de muter son directeur à un poste où il ne s'occupera plus de la gestion du personnel: une démotion que Julien accepte à contrecœur.

Comme on le voit, ce directeur aurait eu intérêt à privilégier l'engagement de ses collaborateurs dans un climat de respect et de coopération, condition préalable à l'atteinte des objectifs d'une entreprise, plutôt que d'imposer son intransigeance et laisser s'envenimer le conflit de travail.

La peur de perdre le contrôle de soi

Certaines personnes refusent de régler un conflit par peur de s'emporter lors de la discussion. L'exigence d'une relation où règne une parfaite harmonie les empêche même de reconnaître l'existence du conflit; elles préfèrent agir comme s'il n'existait pas, tout en bouillant intérieurement.

Il est important de se reconnaître le droit à la colère, même si l'idéal est de régler le conflit calmement pour éviter un stress inutile. Cependant, si malgré des confrontations préalables, l'hostilité refait surface lors d'une tentative de règlement, ce sera le symptôme d'une insatisfaction profonde qu'il vaut mieux exprimer, tout en évitant toutefois la violence verbale ou physique.

Il est à remarquer toutefois, qu'à réagir trop spontanément, sans prendre de recul, on risque de se placer dans des situations sans issue, où le dialogue n'est plus possible. Voilà pourquoi, lors d'un conflit, quand vous sentez monter en vous la colère, avant d'être complètement submergé par cette émotion, mieux vaut vous arrêter. Par la suite, le calme revenu, demandez-vous si ce que vous revendiquez en vaut vraiment la peine. Si vous considérez alors que votre système de valeurs ou vos «droits» sont en jeu, n'abdiquez pas, mais prenez le temps de vous préparer adéquatement à présenter de nouveau l'objet du conflit. La technique que nous vous proposons maintenant pourra vous y aider.

Technique pour régler un conflit

Nous examinerons brièvement les différentes étapes à suivre pour régler un conflit, compte tenu que cette méthode de Thomas Gordon a été exposée en détail dans *Communiquer: un art qui s'apprend*[1], publié chez le même éditeur.

---

1. Langevin Hogue, Lise. *Communiquer: un art qui s'apprend*, Les éditions Un monde différent, Saint-Hubert, 1986.

Première étape : Définir le problème

Choisissez un moment propice pour exposer clairement, sans blâme, ce que vous voulez et ce que l'autre désire de son côté. Ne cherchez pas de solution à cette étape initiale.

Deuxième étape : Solutions possibles

À cette étape-ci, sans juger immédiatement si elles sont bonnes ou mauvaises, suggérez à tour de rôle des solutions, et écrivez-les.

Troisième étape : Solution choisie

Après avoir analysé ensemble les points forts et les points faibles de chacune de vos solutions réciproques, décidez d'un commun accord laquelle vous essaierez d'abord.

Quatrième étape : Noter l'évolution

En tant que personnes impliquées dans le conflit, si vous constatez après quelque temps que ça semble bien aller, tant mieux. Si des frustrations persistent toujours, au contraire, vous pouvez essayer une autre solution ou améliorer celle déjà expérimentée.

Les conflits de valeurs

S'il s'avère difficile en utilisant cette méthode de trouver une solution qui convienne aux deux parties, cela démontre parfois qu'il s'agit d'un conflit de valeurs. Référons-nous à ces exemples pour mieux en saisir la différence.

Hélène fait remarquer à André qu'elle le trouve indifférent avec les enfants et lui suggère d'essayer de se rapprocher d'eux. André répond qu'il est fatigué, qu'il travaille beaucoup, et qu'il ne voit pas ce qu'il pourrait faire de plus. Il écarte toutes les suggestions faites par Hélène.

Anne, 17 ans, a maintenant des relations sexuelles avec son copain, Xavier. Jocelyne, la grand-mère d'Anne, refuse de les voir partager la même chambre lorsqu'ils passent le week-end au chalet. Elle dit ne pas vouloir cautionner leur conduite. Anne, de son côté, accuse sa grand-mère d'être «vieux jeu».

François est d'avis qu'exposer les morts est lugubre et que cette coutume est une mascarade. Yvette, sa mère, avance plutôt que c'est une forme de respect apportée aux défunts, une façon de leur rendre ainsi un dernier hommage. Chaque fois que ce sujet est abordé, Yvette s'emporte. Le fossé se creuse de plus en plus entre la mère et son fils dont les opinions sont divergentes sur plusieurs sujets. Yvette se dit bien déçue des idées de François et celui-ci soutient que sa mère manque de considération à son égard.

Pierre et Josée ont économisé un peu d'argent. Josée voudrait l'utiliser pour effectuer un voyage de trois semaines en Grèce: «C'est une excellente source de culture», dit-elle. Pierre de son côté désire l'investir dans la rénovation de leur maison. «Nous sommes jeunes, nous bâtissons notre avenir, et ce serait ridicule de dépenser tant d'argent pour visiter des ruines et des musées», répond-il à Josée.

Comme vous pouvez le constater, toutes ces personnes ont des vues très opposées sur un même sujet.

Comment faire face à un conflit de valeurs?

Pour régler un tel conflit, il faut d'abord et avant tout être à l'écoute de l'autre, même si vous êtes convaincu au départ d'avoir raison. Vous découvrirez peut-être des facettes du problème que vous n'aviez pas envisagées et vous comprendrez mieux les sentiments de cette personne.

Par ailleurs, si après avoir écouté avec empathie votre interlocuteur votre opinion personnelle n'a pas changé, faites-lui en part en partageant à votre tour votre expérience de vie. Prenons le cas d'Hélène. Si elle raconte à André combien elle a souffert de l'indifférence de son père lorsqu'elle était enfant, elle amènera peut-être son conjoint à s'engager davantage auprès de ses enfants.

Quant à Jocelyne, la grand-mère, sa résistance peut se comprendre, étant donné les valeurs qui prévalaient à l'époque où elle avait l'âge de sa petite-fille Anne. Toutefois, elle aurait avantage à développer une certaine ouverture d'esprit quant à la sexualité, car les mœurs ont beaucoup évolué depuis sa propre adolescence. Si elle ne veut pas subir un stress inutile, elle devra donc tenter de s'adapter à ces nouvelles réalités. Il est important pour chacun, peu importe son âge, de réexaminer ses valeurs, de peur de demeurer stagnant et de s'enliser dans un conformisme qui freine son évolution.

Toutefois, pour préserver son authenticité, Jocelyne ne doit pas simplement éviter de déplaire à Anne. Si, malgré des efforts sérieux pour changer ses valeurs, l'anxiété et la culpabilité persistent, elle pourra expliquer son malaise intérieur à sa petite-fille, et cette dernière comprendra mieux l'attitude de sa grand-mère. De part et d'autre, tout est question de respect.

Quant à Yvette, si elle ne veut pas s'éloigner davantage de son fils, elle devra s'accommoder de certaines divergences d'opinions. Cela pourrait même ajouter du piquant à leur discussion.

En ce qui concerne Pierre et Josée, même s'il s'agit ici d'un conflit de valeurs, peut-être trouveront-ils un terrain d'entente grâce à la technique de «Résolution de conflit» qui a été suggérée précédemment.

Ainsi, pour éviter que l'un ou l'autre ne soit perdant, ils pourraient examiner des solutions comportant des compromis réciproques:

- Josée pourrait réduire de trois à deux semaines son séjour en Grèce.
- Elle pourrait choisir une autre destination qui lui permettrait de se reposer et de satisfaire à moindre coût sa soif de culture.
- S'ils aiment bricoler, ils pourraient effectuer eux-mêmes une partie des travaux.

Cette économie leur permettrait de faire un voyage dans un endroit qui leur conviendrait à tous deux et, du même coup, cela rendrait possible l'exécution d'une partie des travaux de rénovation.

Il est vrai que nous avons des limites à la maîtrise de notre vie. Mais bien souvent, certains attribuent leur inaction à un manque de pouvoir, alors que la peur de déplaire ou de blesser quelqu'un en est la cause. Ils préfèrent croire en un destin inexorable et continuer à jouer le rôle de victime, se plongeant ainsi dans un état chronique de stress.

Comme on le voit, il est toujours avantageux de régler un conflit, et d'autant plus s'il s'agit d'une situation où l'on se sent gravement lésé, ou si on se trouve en contradiction avec ses valeurs les plus profondes. Dans ce cas, si après de nombreux efforts pour résoudre un tel conflit on a l'impression qu'il n'y a rien à faire, il nous faut faire un choix pour se soustraire au stress: cesser de revendiquer et s'adapter, ou rompre la relation et en assumer les conséquences. La décision n'est pas toujours facile à prendre, surtout si le conflit se déroule en milieu de travail ou au sein de la famille.

Le respect de l'autre

Chaque fois qu'on veut résoudre un conflit de valeurs, un des principes directeurs à retenir, c'est de respecter la personne avec laquelle on est en désaccord. Tout au long de cette démarche, notre attitude lui démontrera qu'on considère ses expériences de vie tout aussi valables que les nôtres et qu'on comprend ses sentiments. Le moins que l'on puisse faire pour lui manifester concrètement ce respect, sera donc de l'écouter attentivement sans l'interrompre et sans se laisser distraire par quoi que ce soit d'extérieur. D'où l'importance de choisir un endroit et un moment propices à cet échange.

Et s'il était impossible de trouver un compromis convenant aux deux parties, il faudrait toutefois éviter de lancer des ultimatums, de proférer des menaces, de critiquer, de blâmer, ou encore d'user de sarcasmes envers l'autre pour le convaincre et tenter de faire triompher notre point de vue. Ces manœuvres sont inconciliables avec le respect, et elles risqueraient de fermer la porte à toute tentative ultérieure pour régler ce conflit.

Stratégie antistress

Vérifiez votre degré de compréhension (Voir réponses à la fin de l'exercice)

Répondez par VRAI ou FAUX

1. Nous avons un contrôle absolu sur notre vie.   _____

2. Certaines de nos décisions exigent la collaboration d'autres personnes.   _____

3. Il faut à tout prix éviter les conflits.   _____

4. C'est une bonne chose de nous servir de notre autorité pour régler un conflit.   _____

5. Pour éviter le stress, il est toujours mieux de ne pas révéler une injustice dont on est victime.   _____

6. Il est inutile de tenter de régler un conflit entre une personne en autorité et nous-même.   _____

7. Plutôt que de risquer de se mettre en colère en voulant régler un conflit, il vaut mieux éviter d'en parler.   _____

8. Nous avons le droit de nous mettre en colère.   _____

9. Pour régler un conflit, le recours à la violence verbale ou physique est à déconseiller.   _____

10. Il nous est impossible de changer nos valeurs.   _____

Réponses à l'exercice «Vérifiez votre degré de compréhension»

1. F	6. F
2. V	7. F
3. F	8. V
4. F	9. V
5. F	10. F

N.B.: Si vous avez répondu de façon erronée à au moins trois reprises, vous auriez avantage à relire le début du chapitre VI jusqu'ici.

Connaissance de soi

1. Vivez-vous actuellement un conflit? Si oui, décrivez-le briè-vement.

_____

_____

_____

2. Avez-vous l'intention de le régler sous peu? Si oui, que ferez-vous?

_____

_____

_____

3. Si vous hésitez à le faire, dites pourquoi.

_____

_____

_____

Vers l'équilibre

Comme première démarche à entreprendre avant de passer à l'action, parmi les idées suivantes, cochez celles que vous entretenez et, dans l'espace prévu à cet effet, confrontez-les.

Idées:

A. Si j'exprime ce que je veux, ça créera un conflit.

Questions pour confronter: Sur quoi est-ce que je me base pour dire ça? Et si c'est ce qui arrive, quelle action puis-je poser pour y faire face?

Réponses (confrontation):

_____

_____

_____

_____

_____

B.   Les gens diront que je suis exigeant, égoïste.

Questions pour confronter: Et même si c'est ce qu'ils disent. Et après? Suis-je prêt à renoncer à mes désirs pour éviter ça?

Réponses (confrontation):

_____

_____

_____

_____

C.   C'est mieux de céder que de s'attirer des ennuis.

Questions pour confronter: Quels sont les ennuis que je risque d'avoir? Ces ennuis seraient-ils graves ou ennuyeux? Qu'est-ce que je pourrais faire s'ils se produisaient?

Réponses (confrontation):

_____

_____

_____

_____

Nous sommes maintenant à mi-chemin de notre réflexion. Nous vous proposons donc de nouveau un test d'évaluation de votre niveau de stress. À cette étape-ci, ce volume vous a peut-être permis d'acquérir de nouvelles connaissances, mais si vous n'avez fait que le lire sans le mettre en pratique, il serait étonnant que vous obteniez des résultats très différents de ceux que vous aviez obtenus au tout début. Ne vous découragez pas cependant. Soyez plutôt conscient des attitudes qui génèrent votre stress. C'est déjà un pas dans la bonne direction. Puis, petit à petit, entreprenez maintenant, les changements souhaités. Comme vous avez pleins pouvoirs sur vos pensées, c'est sur cet élément que vous auriez avantage à travailler d'abord. De cette façon, vous diminuerez votre stress psychologique ou émotionnel et, par la suite, il vous sera plus facile de changer certains de vos comportements stressants.

Test d'évaluation de votre niveau approximatif de stress

Consigne:

Après chaque question, encerclez le chiffre qui correspond le mieux à ce que vous vivez.

1) Jamais ou très rarement
2) Parfois
3) Souvent ou assez souvent
4) Très fréquemment

1. Perdez-vous patience rapidement?	1	2	3	4
2. Vous faites-vous du souci?	1	2	3	4
3. Vous retenez-vous d'exploser alors que vous bouillez à l'intérieur?	1	2	3	4
4. Vous sentez-vous coupable à propos de certains de vos agissements présents ou passés?	1	2	3	4
5. Manquez-vous de confiance en vous?	1	2	3	4
6. Êtes-vous dans un domaine où vous devez être performant?	1	2	3	4
7. Cherchez-vous à être le meilleur soit au travail, dans les activités de loisirs, dans les études, etc.?	1	2	3	4
8. Manquez-vous de collaboration pour l'exécution de certaines tâches, vous sentez-vous débordé?	1	2	3	4
9. Êtes-vous intolérant envers les autres ou envers vous?	1	2	3	4
10. Avez-vous des problèmes financiers?	1	2	3	4
11. Vous arrive-t-il de croire que vous ne vous en sortirez jamais?	1	2	3	4
12. Vous considérez-vous moins valable, moins bon que les autres?	1	2	3	4
13. Vous arrive-t-il de manquer de travail?	1	2	3	4
14. Hésitez-vous à vous confier à quelqu'un?	1	2	3	4
15. Êtes-vous soupçonneux?	1	2	3	4
16. Vous sentez-vous fébrile, agité?	1	2	3	4
17. Avez-vous l'impression de courir du matin au soir?	1	2	3	4
18. Votre langage est-il agressif (donner des ordres, blasphémer, crier, serrer les dents)?	1	2	3	4
19. Vous arrive-t-il de trouver votre travail ennuyeux, peu stimulant?	1	2	3	4
20. Avez-vous de la difficulté à prendre des décisions?	1	2	3	4

21. Perdez-vous rapidement votre enthousiasme? 1 2 3 4
22. Avez-vous l'impression de ne pas vivre comme vous l'aviez rêvé? 1 2 3 4
23. Craignez-vous pour votre santé ou pour celle d'une personne qui vous est chère? 1 2 3 4
24. Vous sentez-vous contraint de faire des choses qui vous déplaisent? 1 2 3 4
25. Êtes-vous insatisfait de votre apparence physique? À vos yeux, êtes-vous trop gros, trop maigre, trop grand, trop petit? 1 2 3 4
26. Abuse-t-on de votre disponibilité pour les autres? 1 2 3 4
27. Vous arrive-t-il d'être triste, de pleurer? 1 2 3 4
28. Éprouvez-vous des frustrations dans votre vie affective (avec les enfants, les parents, les frères et les sœurs)? 1 2 3 4
29. Éprouvez-vous des difficultés dans votre vie amoureuse? 1 2 3 4
30. Ruminez-vous vos problèmes, vos échecs? 1 2 3 4
31. Avez-vous de la difficulté à vous concentrer sur une seule tâche à la fois? 1 2 3 4
32. Négligez-vous de voir vos amis parce que vous avez trop de travail? 1 2 3 4
33. Avez-vous mis les loisirs de côté, faute de temps ou d'argent? 1 2 3 4
34. Avez-vous des difficultés sexuelles? 1 2 3 4
35. Avez-vous des ennuis de santé tels des maux de tête, un mauvais fonctionnement du système digestif, des palpitations, une poussée inhabituelle d'eczéma, de psoriasis ou une autre maladie de la peau, des courbatures, des douleurs au cou ou au dos, une fatigue excessive? 1 2 3 4
36. Avez-vous des crises de panique? 1 2 3 4
37. Est-il difficile pour vous de décompresser? 1 2 3 4
38. Prenez-vous beaucoup de temps à vous endormir ou avez-vous un sommeil fragile? 1 2 3 4
39. Êtes-vous sous pression au travail? 1 2 3 4
40. Négligez-vous de prendre des vacances? 1 2 3 4
41. Avez-vous des trous de mémoire? 1 2 3 4
42. Travaillez-vous dans un environnement bruyant? 1 2 3 4
43. Refoulez-vous vos émotions? 1 2 3 4
44. Mangez-vous trop ou mangez-vous mal? 1 2 3 4

45. Buvez-vous beaucoup de café, de thé, de boissons
    gazeuses, d'alcool?   1   2   3   4
46. Avez-vous des tics nerveux?   1   2   3   4
47. Prenez-vous des tranquillisants?   1   2   3   4
48. Négligez-vous de faire de l'exercice physique? 1   2   3   4
49. Sursautez-vous au moindre bruit?   1   2   3   4
50. Cherchez-vous à contrôler, soit votre famille,
    vos amis ou toute autre personne
    de votre entourage?   1   2   3   4

Résultats

Additionnez les chiffres encerclés. Plus vous vous rapprochez de 200, plus votre niveau de stress est élevé.

Chapitre VII

« Il faut... », « Je dois... », « J'ai besoin... » : sources de stress

Nous sommes tellement absorbés par notre travail, notre vie familiale et sociale, que nous ne prenons pas assez souvent le temps de nous arrêter pour prendre conscience des nombreux stresseurs qui remplissent notre vie. Nous finissons par banaliser cette pression et par la considérer comme inhérente à toute vie active. Regardez se dérouler vos journées: une course folle du lever au coucher. *« J'y suis habitué »*, dites-vous. Pourtant, toutes ces tensions, si minimes soient-elles, sont parfois plus dangereuses que celles qui découlent d'événements majeurs, compte tenu de leur état continuel et répétitif.

En somme, cette forme de stress ronge lentement votre résistance, tout comme l'a fait le temps pour ces vieilles croix de bois qui se dressent encore à l'entrée de quelques villages. Certains de vos comportements hypothèquent peu à peu votre santé, sans que vous en soyez vraiment conscient: *« Il y a tant de choses à faire. La vie moderne est ainsi faite et on n'y peut rien »*, direz-vous. En êtes-vous bien certain? Ne vaudrait-il pas la peine d'examiner les nombreuses obligations que vous vous imposez et les multiples devoirs auxquels vous vous astreignez avant d'arriver à cette conclusion?

Les obligations irréalistes

Fourbu, après votre journée de travail, vous rentrez à la maison et vous projetez vous détendre au coin du feu. Inopinément, vous recevez une invitation d'une personne importante pour vous. *Vous faut-il vraiment* l'accepter, même si ça vous répugne de sortir à nouveau?

Vous êtes surchargé de travail et on insiste pour que vous fassiez partie d'un comité. *Devez-vous vraiment* dire oui?

Et cette réunion qui s'éternise et n'apporte rien de concret, *vous faut-il vraiment* y demeurer jusqu'à la fin?

Êtes-vous certain d'être réaliste quand vous dites *devoir* inscrire votre enfant à tous ces cours où vous *devrez* le reconduire par la suite?

Faites vous-même la liste des obligations que vous vous imposez et demandez-vous quelles seraient les conséquences si vous vous absteniez de remplir ces obligations? Vous découvrirez que, trop souvent, vous vous contraignez à faire certaines choses uniquement pour éviter les jugements, les critiques ou la culpabilité. Ne trouvez-vous pas que vous payez cher pour éviter ces désagréments? Le stress, la fatigue, le surmenage et même la maladie en sont souvent les conséquences.

Car, à trop en faire, vient un temps où vous avez l'impression d'être «vidé», au bout de votre énergie. La fatigue s'étant accumulée, la moindre petite contrariété prend alors des proportions démesurément catastrophiques. C'est ainsi que vos émotions vous conduisent souvent à des réactions qui empoisonnent le climat familial et pénalisent, par le fait même, les personnes que vous chérissez le plus au monde.

Si vous vous sentez fatigué, stressé, surmené, surveillez votre langage intérieur. Il se peut qu'il soit rempli de nombreux «il faut», «je dois» ou «j'ai besoin». Évidemment, certaines de ces obligations sont réalistes telles: «Il *faut* manger pour vivre», «Je *dois* commencer un travail si je veux le terminer» ou «*J'ai besoin* d'un minimum d'heures de sommeil pour renouveler mes énergies».

Mais après mûre réflexion cependant, vous constaterez par contre que bon nombre des contraintes que vous vous imposez sont tout à fait irréalistes. Ainsi, si vous croyez qu'il vous *faut* agir toujours correctement, que vous vous *devez* de toujours donner 100% de vous-même et que, par surcroît, vous êtes convaincu de votre *besoin* d'être aimé et apprécié de tout le monde, vous avez là le cocktail idéal pour vous plonger dans un état perpétuel de stress.

Pour prendre conscience de cette habitude néfaste, changez d'abord votre façon de vous exprimer. Ainsi, au lieu de dire: «Il faut que je fasse telle ou telle chose dès aujourd'hui», utilisez cette phrase plus réaliste: «Il serait utile, préférable, avantageux que je le fasse aujourd'hui, mais ce serait tout aussi bien si je ne le faisais que demain ou après demain.»

En bannissant de votre discours les mots: «il faut», «je dois», «catastrophe», «terrible», «épouvantable», vous élimi-nerez un certain nombre d'actions inutiles et, il vous sera plus facile d'en reporter d'autres à plus tard. Vous serez ainsi moins stressé. Il est vrai que la négligence peut parfois causer des inconvénients, mais vouloir tout faire en même temps ou d'une manière parfaite, n'est guère plus avantageux, si on considère la pression que cette attitude suscite.

Les obligations professionnelles

Bien entendu, les exigences ne viennent pas toujours de vous, c'est vrai. Ainsi, votre patron ne vous dit pas: «Ce serait préférable, voire même avantageux, que tu me remettes ce dos-sier la semaine prochaine». Non! Il vous dit plutôt: «Il *faut* que tu me le remettes la semaine prochaine; *j'en ai besoin*... c'est urgent!», «Tu *dois* respecter cette échéance». Vous pouvez tenter de le convaincre que vous êtes débordé de travail, mais rien ne dit qu'il écoutera vos doléances.

De plus, certains métiers, certaines professions et même cer-tains postes à l'intérieur d'une même entreprise, comportent plus d'obligations que d'autres et, par conséquent, sont plus stressants. À chacun d'évaluer alors si un tel emploi lui convient. Certains supportent la pression sans inconvénient et s'en disent même stimulés, par contre, d'autres réagissent mal par rapport aux mêmes contraintes, et deviennent malheureux et stressés. Si, après avoir persisté un certain temps, ces derniers ne parvien-nent pas à s'adapter, ils en déduiront que ce genre de travail ne convient tout simplement pas à leur rythme personnel. Et il leur appartiendra dès lors de faire des choix.

Le perfectionnisme et l'excès de travail

Bien souvent les obligations professionnelles ne sont pas seules en cause en ce qui a trait au travail excessif. Il est vrai que le perfectionnisme conduit souvent à l'inaction, mais il est important aussi de souligner que cette attitude peut mener au comportement inverse: s'imposer un rythme de travail effréné qui conduit souvent au surmenage. Comme le perfectionniste n'est jamais complètement satisfait de ses résultats, il recommence, retouche, fignole, perd un temps fou. Il n'est donc pas vraiment productif et, pour respecter les échéances, il rogne sur son temps de loisirs, de repos ou de sommeil. Il agit ainsi car il croit que, s'il réussit, ça prouvera qu'il est «quelqu'un» et que, s'il échoue, ça prouvera au contraire qu'il n'est «rien». Cette façon de s'identifier à ses actes lui occasionne un stress destructeur: «Je fais une erreur: je suis un imbécile», «Je prends une mauvaise décision: je suis un incompétent». On peut alors comprendre l'énergie qu'il déploie pour éviter un échec.

Il est important toutefois de ne pas confondre le perfectionniste excessif avec celui qui aime le travail bien fait. Ce dernier ne ménage également ni son temps ni ses efforts, mais comme il n'est pas exagérément minutieux, il est productif. Sa vie ne se limite donc pas au travail. Il consacre du temps aux amis, à la famille, et aux loisirs, ce qui lui permet de se détendre et de développer d'autres talents. Contrairement au perfectionniste, son but ultime n'est pas de se valoriser mais il agit plutôt par amour pour ce qu'il fait et il y prend plaisir.

Chapitre VIII

Pour combattre le stress:
bien gérer son temps

Comme le chantait si bien Barbara: «Dis, au moins le sais-tu, que tout ce temps qui passe ne se rattrape guère? Que tout ce temps perdu ne se rattrape plus?» D'où la nécessité d'utiliser son temps judicieusement. De nos jours, nombre de personnes se plaignent d'un horaire surchargé leur causant un stress considérable.

Définissez vos objectifs

Si tel est votre cas, la démarche initiale pour améliorer votre qualité de vie consiste à vous fixer des objectifs et par la suite à gérer votre temps en fonction d'eux.

Voilà pourquoi je vous suggère de prendre quelques minutes de votre temps et d'inscrire ci-après *les buts que vous aimeriez atteindre au cours de votre existence,* tant sur le plan personnel que professionnel: fonder une famille, parfaire vos études, créer votre propre entreprise, voyager, acheter une maison, etc. Ces objectifs à long terme vous feront prendre conscience de votre idéal de vie, de vos buts ultimes. Au cours des années vous pourrez leur apporter des modifications, compte tenu des impondérables qui peuvent survenir au cours d'une si longue période, et de la possibilité également que vos goûts changent.

Certains de ces objectifs sont probablement en voie de réalisation. Quant aux autres, ceux qui ne sont qu'à l'état embryonnaire, vous pourrez vérifier à l'occasion si vous vous en rapprochez. C'est d'ailleurs l'avantage de les écrire.

Objectifs à long terme

N'envisager que des objectifs à long terme est une erreur car vous pourriez vous engager dans des actions inutiles et parfois même contraires à leur réalisation. Voilà pourquoi vous auriez avantage à inscrire ci-dessous, dans l'espace prévu à cet effet, les objectifs à atteindre *au cours des cinq prochaines années*. Ils constituent vos *objectifs à moyen terme*. En les notant, vérifiez s'ils sont conciliables les uns avec les autres. Par exemple, si vous désirez parfaire des études au cours de cette période, il n'est peut-être pas réaliste de croire que vous pourrez également acheter une maison et faire un voyage en Europe.

Objectifs à moyen terme

Quant à vos *objectifs à court terme* – c'est-à-dire réalisables au cours d'une période d'un à douze mois – écrivez-les maintenant par ordre de priorité dans l'espace suivant. À cette étape de votre démarche, soyez précis et tenez compte des imprévus susceptibles d'entraver certains d'entre eux. Il peut s'agir ici de projets ne visant que l'atteinte d'un plaisir immédiat sans implication pour l'avenir. Ainsi, apprendre à jouer d'un instrument, faire de la peinture, peut tout aussi bien répondre au désir de s'exprimer qu'à celui de se détendre.

On peut aussi chercher à atteindre un objectif à court terme afin de réaliser un but à plus ou moins longue échéance. Par exemple, je peux avoir comme objectif immédiat d'apprendre à conduire une voiture afin d'atteindre l'objectif à long terme de développer mon autonomie.

Objectifs à court terme

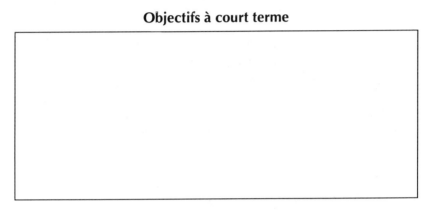

Cet exercice peut vous sembler une perte de temps, mais soyez assuré qu'à long terme, il vous en fera économiser davantage. Ainsi, en consultant ces notes de temps à autre, vous agirez beaucoup plus en fonction de vos propres objectifs qu'en fonction de ceux des autres.

Faites un plan d'action

Nous avons analysé auparavant la possibilité d'établir un plan d'action. C'est un excellent moyen d'atteindre les objectifs à court terme – c'est-à-dire ceux que vous venez d'énumérer. Au fur et à mesure que vous déciderez de travailler sur l'un d'eux, il pourrait s'avérer un outil efficace de gestion du temps si vous ne savez pas trop comment vous y prendre ou par où commencer.

Pour vous éviter un retour en arrière, au chapitre V de ce présent volume notamment, nous reproduisons ici le plan d'action de Sophie qui s'est fixé une échéance de huit mois pour apprendre à s'adresser à un groupe sans paniquer. Cette démarche deviendra donc son principal objectif pour une période de temps.

Plan d'action de Sophie

1. Objectif principal

Parler avec aisance devant un groupe	Échéance: Entre le 10 sept. et le 20 mai

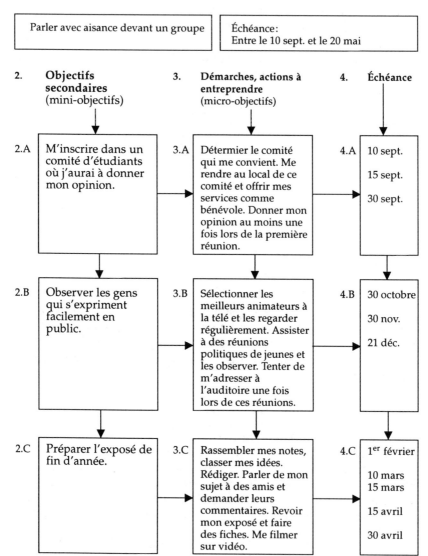

2.	**Objectifs secondaires** (mini-objectifs)	3.	**Démarches, actions à entreprendre** (micro-objectifs)	4.	**Échéance**
2.A	M'inscrire dans un comité d'étudiants où j'aurai à donner mon opinion.	3.A	Détermier le comité qui me convient. Me rendre au local de ce comité et offrir mes services comme bénévole. Donner mon opinion au moins une fois lors de la première réunion.	4.A	10 sept. 15 sept. 30 sept.
2.B	Observer les gens qui s'expriment facilement en public.	3.B	Sélectionner les meilleurs animateurs à la télé et les regarder régulièrement. Assister à des réunions politiques de jeunes et les observer. Tenter de m'adresser à l'auditoire une fois lors de ces réunions.	4.B	30 octobre 30 nov. 21 déc.
2.C	Préparer l'exposé de fin d'année.	3.C	Rassembler mes notes, classer mes idées. Rédiger. Parler de mon sujet à des amis et demander leurs commentaires. Revoir mon exposé et faire des fiches. Me filmer sur vidéo.	4.C	1er février 10 mars 15 mars 15 avril 30 avril

Établissez vos priorités

Entreprendre plusieurs choses en même temps, traduit souvent votre degré d'anxiété, suite aux devoirs et aux obligations que vous vous imposez. Surchargé et surmené, vous ne savez plus par où commencer. Pour mieux gérer votre temps, vous auriez donc avantage à planifier chaque soir votre journée du lendemain en écrivant dans votre agenda les tâches dont vous voulez vous acquitter. Puis, révisez cette liste pour vérifier si elle ne contient pas d'obligations inutiles auxquelles vous pourriez vous soustraire.

Cette révision faite, établissez vos priorités. Ainsi, à la fin de la journée, si vous n'avez pas eu le temps de tout faire, vous ne devriez pas être anxieux car vous aurez accompli ce qui vous semblait le plus important ou le plus urgent.

Après quelques jours, si vous vous rendez compte toutefois que vous remettez de jour en jour les mêmes tâches, vérifiez donc si une certaine peur ne serait pas la cause de votre tergiversation. Si c'est le cas, confrontez vos idées et passez à l'action sans plus tarder. Si vous négligez un travail faute de le trouver agréable – comme le dit une expression populaire – «prenez le taureau par les cornes» et faites-le.

Déléguez

Certaines personnes sont tellement convaincues d'être les seules à posséder les connaissances ou les habiletés requises pour exécuter un travail (idée douteuse à confronter), qu'il leur répugne de confier des responsabilités à quelqu'un d'autre. Elles veulent tout contrôler, d'où le surmenage pour elles et la démotivation pour les autres.

Prendre le temps d'expliquer minutieusement à vos employés ou à vos collaborateurs les tâches que vous leur déléguez, et les superviser temporairement par la suite, voilà un investissement qui, à long terme, vous rapportera des dividendes. En agissant ainsi, vous leur permettrez d'acquérir de l'initiative et ils pourront par la suite assumer certaines responsabilités qui, autrement, vous auraient incombé.

Il en est ainsi dans la répartition des tâches domestiques. Selon la sociologue québécoise Louise Vandelac, qui est à terminer une étude sur la conciliation emploi-famille dans quatre milieux de travail, il semble que le partage des tâches ménagères est effectivement un peu plus équitable qu'autrefois, mais que les changements sont très lents»[1].

Voilà pourquoi les familles ne doivent pas attendre l'évolution de la société mais se concentrer sur des solutions créatives au sein de leur milieu. Pour vous orienter, je vous propose donc une expérience tentée par des participants à mes ateliers. Toutefois, avant de l'expérimenter, voici une précision: «déléguer» ne signifie pas «imposer». Par conséquent, si vous voulez réussir, vous devez mettre à contribution, dans cette démarche, tous les membres de la famille aptes à collaborer aux travaux domestiques. Pour ce faire:

1. Réunissez-vous et dressez ensemble une liste la plus exhaustive possible des tâches quotidiennes, hebdomadaires et mensuelles à exécuter. Inscrivez-les sur une feuille semblable à la page suivante.

2. À tour de rôle, choisissez, selon vos disponibilités, vos goûts et vos aptitudes, les tâches quotidiennes que vous vous engagez à accomplir, puis, faites de même pour les tâches hebdomadaires et mensuelles. Vous pouvez souligner avec des marqueurs de différentes couleurs les tâches choisies par chacun.

3. Si vous ne voulez pas que les bonnes résolutions s'envolent, faites un suivi à cet exercice, car si vous laissez passer les «oublis» sans les signaler, on doutera vite de votre sérieux. Pour démontrer l'importance de cette démarche, faites un relevé individuel des tâches de chacun des membres de la famille, et remettez-leur.

Profitez de l'intérêt manifesté par chacun au début pour préciser à quel point vous appréciez leur collaboration, la qualité de leur travail et leur empressement à l'exécuter. Vous rehausserez inévitablement ainsi le niveau de motivation des membres de la famille, car les êtres humains aiment se sentir appréciés.

De plus, verser une allocation aux enfants en fonction du soin apporté à leurs tâches, est certes une façon de les encourager à poursuivre leurs efforts. Ce renforcement positif les incitera peut-être à persister dans votre projet commun, et il leur apprendra de plus que, dans la vie, rien n'est gratuit.

---

1. Pratte, André. *Les hommes rose pâle*, La Presse, mercredi le 17 juillet 1996.

Vous pouvez utiliser le même tableau pour la réalisation de projets en milieu de travail, même s'il n'est pas toujours possible de laisser à chacun le soin de choisir ce qu'il veut faire. À vous de l'adapter à la situation.

Répartition des tâches

Tâches journalières à accomplir   Personne responsable

Tâches hebdomadaires à accomplir   Personne responsable

Tâches mensuelles à accomplir   Personne responsable

Soyez organisé

Si vous avez intérêt à planifier vos réunions et vos rendez-vous au travail, il en va tout autant pour l'organisation matérielle de votre foyer. Il n'y a pas pire perte de temps que de «s'éparpiller». Le dictionnaire Robert définit bien cette attitude stressante: «Éparpiller ses forces, ses efforts, son attention, son talent, les diriger sur plusieurs objets à la fois, les dispenser inefficacement».

Voici quelques petits trucs susceptibles de vous éviter un tel comportement:

- Organisez une cuisine communautaire avec certains membres de votre famille ou avec des amis. Vous vous partagerez alors les mets cuisinés et chacun pourra par la suite les congeler.

- Doublez certaines de vos recettes et utilisez les restes pour un repas subséquent.

- Après le repas du soir, alors que certains aliments sont encore sur la table, préparez les lunchs du lendemain.

- Ayez constamment à portée de la main un aide-mémoire où vous noterez tous les produits d'épicerie ou de pharmacie à renouveler. Procéder ainsi vous évitera de multiplier les déplacements.

- Regroupez vos courses et, de façon à économiser du temps, tracez votre itinéraire selon les endroits où aller: la banque, la quincaillerie, l'épicerie, la pharmacie, le nettoyeur, etc.

- Utilisez un classeur pour ranger vos papiers importants: les contrats, les factures, les reçus. Vous procédez de cette façon au travail, pourquoi ne pas agir de même pour vos documents personnels?

- Notez dans un index téléphonique les numéros auxquels vous vous référez plus ou moins régulièrement. Rangez toujours cet outil au même endroit pour pouvoir le repérer rapidement si nécessaire.

- Remettez toujours au même endroit les outils d'usage courant: le marteau, le tournevis, etc.

- Évitez la négligence qui risque de vous faire perdre un temps précieux.

–   Enfin, soyez créatif! Observez vos parents, vos amis, et partagez vos trucs réciproques pour vous permettre d'épargner temps et énergies.

Refaites le plein, détendez-vous!

Si vous mettez en pratique cette façon de gérer votre temps, vous serez surpris des résultats dans votre vie quotidienne. Non seulement serez-vous moins stressé, mais vous aurez du temps libre. À quoi l'emploierez-vous? À accomplir une somme de travail supplémentaire ou à profiter davantage de la vie avec votre famille et vos amis? À vous d'en décider.

Mais souvenez-vous: les êtres humains ont besoin de repos, de calme, et parfois même de solitude pour récupérer après des périodes de pression intense. Prendre quelques minutes de réflexion tous les jours permet de retrouver ce calme intérieur auquel chacun aspire. Ces moments de détente permettent de plus de vérifier à loisir ses objectifs et de s'y engager avec plus d'ardeur. Malgré notre vie tumultueuse et bruyante, il est primordial de recourir à une période plus tranquille de la journée pour pouvoir échapper à un excès de stress dommageable pour la santé.

Force est de constater toutefois que, si vous n'avez pas pris l'habitude de planifier votre emploi du temps jusqu'ici, vous n'adopterez pas nécessairement cette attitude du jour au lendemain. Mais en vous y appliquant, ce nouveau mode de gestion deviendra pour vous une seconde nature.

Le rôle des émotions

Certains pensent vraiment qu'ils n'ont pas le droit de prendre du temps pour eux. Ils ont l'impression de pénaliser leur entourage, d'être égoïstes, et s'en sentent coupables. Quant à d'autres, ils sont minés par l'anxiété: «Je dois faire ceci ou cela. Je n'ai donc pas le temps de me reposer ou de me distraire.» Ces idées irréalistes entretenues inconsciemment sont la cause de leur comportement excessif. Rappelez-vous: votre façon de penser déterminera toujours vos émotions qui, à leur tour, vous entraîneront dans l'action.

Voilà donc une nouvelle preuve de l'importance de confronter vos idées. Par la suite, il vous sera plus facile de pratiquer des activités relaxantes pour vous aider à décrocher, comme par exemple:

- Lire;
- Écouter de la musique ou en faire soi-même;
- S'isoler quelques minutes pour faire de la confrontation ou pour revoir ses objectifs;
- Pratiquer un sport;
- Marcher au grand air;
- Aller au cinéma ou regarder la télévision;
- Faire des mots croisés ou des mots cachés;
- Tricoter, peindre;
- Prendre un bain chaud et se coucher tôt;
- S'amuser avec les enfants;
- Converser avec son conjoint ou avec un ami;
- Etc.

Stratégie antistress

Vérifiez votre degré de compréhension (Voir réponses à la fin de l'exercice)

Répondez par VRAI ou FAUX

1. Pour bien gérer son temps, il est primordial d'établir ses objectifs avant de s'engager dans l'action. _____

2. Définir ses objectifs à long terme est inutile. _____

3. Il est important d'établir des priorités dans ses objectifs. _____

4. On doit rédiger un plan d'action pour chaque projet entrepris. _____

5. Il est utile de planifier chaque soir la journée du lendemain. _____

6. Quand on remet certaines tâches à plus tard, c'est parfois qu'on entretient des peurs. _____

7. Il est avantageux de donner des marques d'appréciation à des collaborateurs. _____

8. «Déléguer» signifie «imposer». _____

9. Expliquer et superviser certaines tâches, voilà une perte de temps. Mieux vaut le faire soi-même. _____

10. La culpabilité et l'anxiété empêchent certains de prendre du temps pour eux. _____

Réponses à l'exercice «Vérifiez votre degré de compréhension»

1. V		6. V	
2. F		7. V	
3. V		8. F	
4. F		9. F	
5. V		10. V	

N.B.: Si vous avez répondu de façon erronée à au moins trois reprises, vous auriez avantage à relire du début du chapitre VIII jusqu'ici.

103

Connaissance de soi

1. Gérez-vous bien votre temps au travail?

    _____

    _____

    _____

2. Gérez-vous bien votre temps à la maison?

    _____

    _____

    _____

3. Quelle technique pourriez-vous mettre en place pour améliorer votre gestion du temps au travail ou à la maison?

    _____

    _____

    _____

4. Prenez-vous du temps pour vous-même? Si vous avez répondu «non» ou «très peu», dites pourquoi?

    _____

    _____

    _____

5. Examinez bien les raisons que vous venez d'énoncer et vérifiez si la culpabilité ou l'anxiété ne serait pas en cause.

    _____

    _____

    _____

Vers l'équilibre

Choisissez un moyen de détente que vous aimeriez utiliser, et pratiquez-le une ou deux fois cette semaine.

Chapitre IX

La colère et le stress

À la lecture des chapitres précédents, vous avez sans doute compris à quel point l'anxiété est un sentiment générateur de stress. Dans les pages ultérieures, vous découvrirez la colère comme une émotion tout aussi nocive car elle exige un effort d'adaptation provoquant des perturbations physiologiques chez tout être humain, qu'elle soit exprimée ou refoulée. Notre vocabulaire riche en termes qui la décrivent témoigne de son importance : agressivité, hostilité, animosité, fureur, irritation, rage, ressentiment, etc. Ajoutons enfin que la colère est l'émotion ressentie envers toute personne qui, selon nous, cherche à nous nuire.

Les idées qui causent la colère

À l'instar de toutes les émotions, la colère est causée par les idées que nous entretenons lors d'événements ou de situations qui nous déplaisent. Quand nous l'éprouvons envers les choses, par exemple la situation économique, la température, les mauvais coups du sort, les injustices de toutes sortes, etc., elle devient pour nous de la «révolte».

Le fondement de toute colère est toujours le même: «Cette personne *ne doit pas, ne devrait pas, aurait dû* ou *n'aurait pas dû faire ce qu'elle a fait*», ou au contraire: «*Elle doit*, **devrait** ou *aurait dû faire ce qu'elle n'a pas fait*». Ex.: «*Mon enfant n'aurait pas dû* me désobéir» ou «Mon conjoint devrait me soutenir dans mes décisions»

À première vue, ces idées semblent tout à fait réalistes, mais voyons de plus près ce qu'il en est. Considérons d'abord ceci: Le monde est régi par un certain nombre de lois à regrouper en deux catégories:

Les lois naturelles

Elles ont comme caractéristique de *toujours s'appliquer automatiquement*, donc d'être *obligatoires*. Ainsi, il est réaliste de dire:

- L'ovule *doit* être fécondé par un spermatozoïde pour former un être humain.
- Les êtres humains *doivent* tous mourir un jour.
- La neige *doit* fondre sous l'influence de la chaleur.

Les lois proclamées par les êtres humains

A- Les lois suivantes sont de ce nombre: le code de la route, les lois civiles, provinciales et fédérales, etc. Ces lois ne sont pas naturelles et ne s'appliquent pas automatiquement. Dans cette optique, un véhicule ne s'arrêtera pas automatiquement à un feu rouge car ce n'est pas une loi naturelle mais une loi humaine. Il s'arrêtera si vous consentez à freiner cependant. Ces lois, malgré leur utilité, ne sont donc pas obligatoires au même titre que les lois naturelles. Mais il vaut mieux les respecter si nous ne voulons pas vivre dans le chaos social et agir ainsi à l'opposé de nos intérêts.

B- De plus, chacun érige et proclame ses propres lois. Par exemple: Le père ordonne à son enfant: «Tu dois m'obéir». L'enfant dit à ses parents: «Vous devez me donner ceci ou cela». Le patron commande à son employé: «Tu dois produire davantage.» La personne conventionnelle déclare subtilement au marginal: «Tu dois vivre selon mes normes». C'est ainsi que le dictateur présent en chacun de nous proclame que ce qui lui plaît *doit* arriver, et que tout ce qui ne lui plaît pas ne *doit pas* arriver.

Nous pouvons donc conclure que, chaque fois qu'une loi personnelle est décrétée obligatoire, c'est une façon d'entretenir une idée irréaliste. Par conséquent, quand cette loi n'est pas respectée, vous en ressentez de la colère. Non seulement cette émotion est-elle stressante, mais elle vous conduit souvent à des comportements nuisant à l'atteinte de vos objectifs.

Pour vous soustraire au stress, évitez donc d'imposer vos goûts, vos désirs, ou vos principes, même si vous êtes convaincu de leur légitimité. Car n'oubliez pas que, pour certains, enfreindre votre loi devient parfois un défi à relever pour exprimer leur propre indépendance.

L'instinct de conservation lié à l'agressivité

Comment expliquer la colère si présente dans nos vies? Pour répondre à cette question, reportons-nous à la période de la préhistoire qui nous fournit un bassin de connaissances nous permettant de mieux comprendre certains comportements de l'homme contemporain.

L'anthropologie nous apprend que le milieu écologique favorisa d'abord un régime végétarien qui permit aux ancêtres de l'homme de survivre. Mais à mesure que l'espèce se multiplia, ils choisirent de plus en plus la chair des animaux pour satisfaire leurs besoins essentiels. Nous pouvons donc imaginer que, devant la rareté du gibier et la prolifération de l'espèce, la coexistence pacifique devint de plus en plus difficile. La peur de ne pouvoir survivre fit alors son apparition, et c'est ainsi que l'agressivité de l'homme envers l'homme se développa. Cette impulsion primaire fait donc partie du bagage génétique hérité de ces lointains ancêtres.

La colère, une émotion naturelle

Ces considérations expliquent non seulement la fréquence de la colère dans nos relations interpersonnelles, mais démontrent aussi l'illogisme d'éprouver de la culpabilité d'avoir exprimé sa colère. «Je n'aurais pas dû me mettre en colère (culpabilité).» Nous en concluons donc, d'après ces observations, que l'objectif de vouloir se débarrasser complètement de cette émotion somme toute naturelle, est fondamentalement perfectionniste et aléatoire.

Pourtant, même si l'hostilité demeure un sentiment bien naturel, nous sommes à même de considérer le stress qu'il engendre. De plus, personne n'aime être blâmé ou critiqué et, comme c'est ainsi que se déroule la plupart du temps un dialogue agressif, on comprend pourquoi le processus de la communication est si souvent rompu. Voilà pourquoi il est important de rechercher les causes parfois profondes de la colère pour s'y attaquer par la suite.

L'iceberg des émotions

Nous avons vu que l'homme préhistorique devenait agressif et s'attaquait à son semblable, car il était d'abord hanté par une peur tout à fait réaliste de le voir mettre en danger sa sécurité physique en s'appropriant les éléments indispensables à sa survie. Pour sa part, l'homme moderne ressent de l'hostilité en communiquant, car il est souvent hanté par la peur de voir compromise sa sécurité psychologique et d'en éprouver des émotions désagréables. Comme le dit Lucien Auger: «Une personne peut exprimer de façon évidente des sentiments d'irritation et de colère, mais il se peut que ces sentiments reposent sur une infrastructure faite d'émotions comme la jalousie, le dépit, la peur; à un niveau plus intense, on pourrait trouver des émotions profondément enfouies, dont il n'est que très vaguement conscient lui-même, comme des sentiments d'infériorité, de non-confiance en soi»[1].

Compte tenu du fait que ces émotions désagréables suscitent un inconfort psychologique, on peut très bien comprendre que l'être humain qui les ressent, et qui, à tort, en attribue la cause à une autre personne, devienne hostile envers celle-ci. «Cette personne ne *devrait pas* ou *n'aurait pas dû* agir comme elle le fait ou comme elle l'a fait puisqu'elle me culpabilise, me dévalorise, ou me rend anxieux.» De là à croire que cette personne est méchante, il n'y a qu'un pas. Et la pensée humaine l'aura vite franchi. Dès lors, le mépris de l'autre apparaît, l'esprit de vengeance germe, l'escalade des comportements aberrants s'intensifie.

Pour illustrer cette théorie, prenons cet exemple: Un de vos comportements déplaît à votre conjoint. Il vous en fait la remarque tout en vous demandant de faire un effort pour le changer. Aussitôt, vous vous emportez et, d'un ton amer, vous lui reprochez certaines de ses attitudes qui vous déplaisent aussi. Après quelques heures, toujours furieuse, vous vous dites 1) *qu'il vous a vraiment bouleversée* et 2) *qu'il n'aurait pas dû vous critiquer comme il l'a fait*. Vous lui en voulez.

Puisque ces idées semblent plutôt vous perturber au point de vue psychologique, tentons de découvrir si elles sont réa-

---

1. Auger, Lucien. *Communication et épanouissement personnel*, Éditions de l'homme, Montréal, 1972.

listes. Ainsi est-il exact de dire que les paroles de votre conjoint vous ont bouleversée? Si ses paroles possédaient un tel pouvoir, comment expliquer alors que certains affrontent des critiques vraies ou fausses, tout en gardant tout de même leur calme? Sa remarque ne peut donc être la *cause* de votre désordre émotif. Je viens de vous en donner la preuve.

Bien sûr, s'il n'avait pas fait cette réflexion, vous ne vous seriez pas mise en colère. Par conséquent, ses paroles ont assurément joué un rôle dans la manifestation de votre irritation: elles en ont été l'*occasion*. Mais c'est votre façon de les interpréter qui, en définitive, a *déterminé* votre sentiment. Par ailleurs, votre réaction aurait été différente, quant à cette même remarque, si vous vous étiez dit: «*Il a le droit de ne pas aimer ce comportement. Cependant, je suis un être humain, donc j'ai des défauts. Voyons pourtant si j'ai avantage à améliorer ce comportement qu'il n'aime pas.*» Ces réflexions vous auraient permis de garder votre calme et d'amorcer avec lui un dialogue constructif.

Examinons maintenant cette autre opinion intimement liée à la naissance de votre hostilité: «Mon conjoint n'aurait pas dû me critiquer». D'abord, demandez-vous quelle loi de la nature interdit à votre conjoint de vous dire ce qu'il pense d'un de vos comportements? Aucune. En fait, ce qu'il a enfreint, c'est une loi personnelle que vous aviez érigée: «Une personne qui m'aime ne *doit* pas me critiquer». C'est donc cette idée irréaliste qui est la cause directe de votre rancune et de votre irritation.

Les émotions sous-jacentes à l'hostilité

Si vous avez de la difficulté à accepter ce raisonnement et que, par voie de conséquence, votre colère n'est pas disparue, ou n'a pas à tout le moins diminuée, après une telle confrontation, vous aurez la preuve que cette émotion ne constitue que la pointe de l'iceberg. D'autres émotions plus profondément enfouies, notamment la peur et peut-être même la dévalorisation personnelle sont sans doute présentes. Pour le savoir, demandez-vous à ce moment: Est-il plausible que j'aie interprété comme un rejet, la remarque formulée par mon conjoint? S'il en était ainsi, on pourrait comprendre que cette peur vous ait fait réagir comme vous l'avez fait. Pour retrouver votre sérénité, voyons comment vous pourriez vous y prendre?

Ainsi, chaque fois que vous interprétez de cette façon l'attitude d'une personne qui vous critique, il serait sage de vérifier d'autres aspects de la relation avant de sauter à ces conclusions. Présumons donc, pour le moment, que votre conjoint désapprouve un de vos comportements. Mais est-ce là la preuve qu'il vous rejette *totalement*? Croyez-vous sincèrement qu'une critique signifie qu'il ne vous aime plus?

Si vous manquez de confiance en vous, votre dialogue intérieur s'est fort probablement poursuivi, et vous vous êtes dit: «*S'il me rejette, voilà la preuve au fond que je ne vaux pas grand-chose.*» Malheureusement, aussi longtemps que vous croirez votre valeur personnelle fluctue au gré de l'affection qu'on vous porte, vous serez à coup sûr très souvent en état d'alerte pour vous défendre contre la perte éventuelle d'un bien si précieux à vos yeux.

Voilà donc les raisons de votre susceptibilité. Dans cette optique, quand une personne soulignera un de vos travers, vous serez sur la défensive, croyant devoir être parfaite pour recevoir son affection ou son appréciation. Par analogie, les critiques seront en quelque sorte pour vous une épée de Damoclès suspendue au-dessus de votre tête.

Pour éliminer ou, à tout le moins, pour diminuer la propension à la colère, il faut donc scruter profondément ses pensées pour découvrir ses émotions sous-jacentes.

Toutefois, il n'est pas toujours facile, j'en conviens, de rester calme dans certaines circonstances. Il est donc sage de ne pas attacher trop d'importance à vos colères passagères ou à vos impatiences. S'il est utile d'être tolérant envers les sautes d'humeur des autres, assumer les vôtres l'est tout autant.

Cependant, mieux vaut exprimer votre irritation sitôt ressentie que de la refouler et de la voir un jour exploser comme une bombe à retardement. Vous avez appris, au cours de votre enfance, et souvent vous y croyez encore, que ceux qui se mettent en colère sont méchants et qu'il faut réprimer ce vilain sentiment. C'est souvent la raison pour laquelle vous n'osez exprimer votre mécontentement. Devenu adulte, il est donc temps de démêler le vrai du faux quant à l'expression de cette émotion.

Exprimer sainement sa colère

Si vous exprimez votre colère, vous devez toutefois la manifester envers la personne concernée et non envers un bouc émissaire, si vous voulez que cet exercice vous soulage. Malheureusement, c'est souvent au foyer que se déverse le trop-plein de tension accumulé au travail. Et comme vous percevez vos enfants ou votre conjoint comme étant moins menaçants que votre patron, ce sont souvent eux qui écopent.

Ajoutons enfin que de manifester sa colère *de façon appropriée* est tout aussi important que de la déverser sur la bonne personne, car la réaction de votre interlocuteur dépendra beaucoup de votre façon de vous adresser à lui. Ainsi, en énonçant simplement les faits, tout en exprimant les émotions que vous ressentez, vous clarifierez la situation plutôt que d'attaquer, blâmer, ou critiquer l'autre.

Par exemple, plutôt que de crier à quelqu'un qui vous a menti: «Tu es un menteur, un hypocrite», il est préférable d'exprimer, en parlant à la première personne, soit le «je», les émotions que vous ressentez à ce sujet: «*Je* suis fâché et déçu de constater que tu m'as menti. *Je* n'accepte pas ton comportement. *Je* veux que nous en parlions.» La colère exprimée de cette façon est susceptible de devenir un début de solution au conflit.

En effet, la capacité d'exprimer ainsi ses sentiments de colère, constitue un moyen utile de contrer le stress. Mais vous devez vous convaincre aussi que «l'erreur est humaine» et que les autres aussi ont le droit d'en faire, et ce, bien avant que l'événement se produise. Et plus vous ferez des efforts soutenus en confrontant vos idées, plus cette démarche vers la maturité se fera de façon préventive et graduelle. Pour vous aider, répétez-vous fréquemment cette toute petite phrase: «*Nous sommes tous des êtres humains sujets à l'erreur.*»

Si toutefois, dans certaines circonstances, vous ne parvenez pas à exprimer votre colère d'une façon adéquate et courtoise, rappelez-vous néanmoins qu'il est parfois préférable de vous vider le cœur plutôt que de masquer vos frustrations. Une mise au point, même si elle ne se fait pas dans toutes les règles de l'art de communiquer, peut parfois crever l'abcès et par la suite réduire les tensions. Supporter les agressions sans réagir, occasionne au contraire des sentiments de culpabilité, d'anxiété et de ressentiment, qui engendrent un stress prolongé, plus dommageable qu'une colère passagère.

Soyez prêt toutefois à assumer les conséquences de l'expression de votre colère. Ainsi, rien ne vous interdit de crier votre insatisfaction ou votre ras-le-bol à votre patron mais soyez conscient toutefois que cette attitude peut provoquer de sa part, des réactions négatives pour vous. Il vaudrait peut-être mieux alors exprimer autrement votre agressivité. La pratique d'un sport ou une autre activité physique, peut s'avérer un excellent exutoire à cette émotion. Dans certaines circonstances, marcher à l'extérieur peut constituer un palliatif valable, car cet exercice favorise la réflexion et permet de décompresser.

Les dangers de la colère

En vérité, manifester sa colère est plus souhaitable que de la refouler. «Entre deux maux, il faut choisir le moindre», dit un proverbe. Cependant, si l'expression de cette émotion dépasse les bornes, elle risque de dégénérer en violence verbale et même physique. Les journaux rapportent fréquemment des cas de violence familiale qui se terminent dans un bain de sang.

Et que dire des gangs de rue qui se disputent à coups de couteaux un territoire sur lequel ils veulent exercer leur pouvoir? La progression de la violence dans notre société, occasionne un sentiment d'insécurité hautement stressant chez de nombreuses personnes.

En somme, même si elle n'atteint pas ce paroxysme, la colère engendre toujours des inconvénient importants. Un patron qui explose à propos de tout et de rien, ou qui critique ses employés à longueur de journée, ne devrait pas s'étonner de leur démotivation et de leur baisse de productivité. Si vous-même avez une propension marquée à l'hostilité, soyez conscient également que cette attitude risque fort d'amorcer une dégradation de vos relations affectives. Habituez-vous donc petit à petit à accepter les frustrations de la vie quotidienne.

De plus, au nombre des inconvénients suscités par la colère, on peut également escompter un risque accru de déclencher la maladie. En effet, des sécrétions hormonales excessives étant déversées dans l'organisme lors d'une colère, la personne irascible risque donc, à force de s'emporter, de subir de graves désordres physiques. Prenons comme exemple ce fait historique rapporté dans *La Presse:* «Le docteur John Hunter, chirurgien-anatomiste (1728-1793) à qui l'on doit la description moderne de l'angine et son étiologie coronarienne, appelé un jour à pratiquer une autopsie sur un individu décédé à la suite d'une violente colère, déclara «être malheureusement à la merci du premier des imbéciles susceptibles de le contrarier». Le docteur Hunter, per-

sonnage irascible et souffrant lui-même d'une maladie coronarienne, ne croyait pas que sa prophétie se concrétiserait un jour.
Quelques années plus tard en effet, alors qu'il présidait un
comité au sein duquel les propos s'étaient envenimés, en colère,
il décida de quitter l'assemblée. Quelques minutes plus tard, le
Dr Hunter s'effondra dans le corridor, foudroyé par un infarctus
du myocarde.[1]»

D'après les statistiques, les maladies coronariennes affli-
gent près de 40 000 personnes par année, uniquement au
Québec. Tous n'en meurent pas, heureusement. Mais, selon le
docteur Grondin, cardiologue reconnu, «au cours des trois premières années post-hospitalisation, le *stress* et l'isolement social,
nonobstant les autres facteurs de risque, peuvent quadrupler les
risques de mortalité.[2]»

Comme on l'a vu dans le cas du docteur Hunter – la colère
étant une émotion stressante – on peut donc en conclure que sa
présence risque d'être l'élément déclencheur d'un infarctus chez
un cardiaque. On ne peut certes pas traiter les maladies du cœur
par la confrontation des idées. Mais s'habituer à cette démarche
peut toutefois diminuer la fréquence et l'intensité des émotions
désagréables et, par voie de conséquence, réduire le stress.

L'irritabilité, la colère : symptômes de stress

S'il est vrai que la colère génère du stress, cette émotion
peut en être également un symptôme. À ce moment, la tension
fait en sorte que la moindre contrariété se transforme en catastrophe, les erreurs d'autrui deviennent des drames, les idées contraires aux nôtres semblent intolérables. Ce signal d'alarme
signifie qu'on a atteint son seuil de tolérance et que l'organisme
ne s'adapte plus de façon harmonieuse aux demandes qui lui
sont faites. Il est alors souhaitable de remonter jusqu'au stress
initial plutôt que de s'attaquer aux idées qui causent la colère et
ses dérivés.

S'agit-il d'un conflit qui perdure? d'un travail excessif ou
incompatible avec sa personnalité? d'une relation interperson-
nelle insatisfaisante? Il appartient à chacun de le découvrir.
Mais, chose certaine, l'organisme ne réussit plus à s'adapter à

---

1. Grondin, Dr Claude. *L'infarctus du myocarde, la langue et le superflu*, La Presse,
   Montréal, le 16 septembre 1996.
2. *Idem.*

cette situation. Deux choix s'offrent à nous pour éviter de passer à la phase d'épuisement:

- Combattre la source initiale de stress, ou
- Abandonner et fuir la situation stressante.

Si on décide de lutter, il vaut mieux, avant de s'engager dans cette dépense d'énergie, se poser deux questions fondamentales:

- Cela en vaut-il la peine?
- Ai-je du contrôle sur la situation?

Voyons comment Maude a résolu ce dilemme:

Sur le marché du travail depuis bientôt dix ans, cette jeune femme est renommée comme une employée dont la capacité de travail impressionne tout autant son employeur que ses collègues. Oeuvrant dans un domaine où la compétition est féroce et où les patrons ne comprennent pas que les employés ne puissent des années durant accomplir leur travail à un rythme aussi soutenu, elle a tenu le coup jusqu'à tout récemment. Mais voilà, sa résistance physique et mentale commence à s'effriter. Elle dort mal, a de la difficulté à se concentrer, et ses rapports avec son conjoint et ses enfants ne sont plus aussi harmonieux. Elle est devenue impatiente, irritable, et s'emporte violemment pour des riens. Elle ne se reconnaît plus et se culpabilise de ses excès de colère.

À plusieurs reprises, elle a tenté sans succès de convaincre ses patrons de ne travailler que trois jours semaine et de recruter une autre personne à mi-temps. Devant leur refus, elle a demandé qu'on allège sa tâche, mais plutôt que de l'écouter, on lui a laissé clairement entendre que d'autres employés consacraient encore plus de temps qu'elle à l'entreprise. Voilà maintenant qu'on veut lui assigner un nouveau dossier. Découragée, Maude demande à réfléchir avant d'accepter. On acquiesce à sa demande tout en la prévenant qu'aucun compromis n'est possible: c'est à prendre ou à laisser.

De retour à la maison, la jeune femme s'empresse d'exposer à son conjoint la situation qui prévaut. Tous deux tentent de trouver une solution, mais Maude doit se rendre à l'évidence: elle s'est *battue* pour obtenir ce qu'elle voulait car elle considérait que ça en valait la peine, mais actuellement elle n'a plus *aucun contrôle* sur la situation.

Après avoir calculé leur budget, ils arrivent à la conclusion qu'en coupant ici et là, et en modifiant leurs habitudes de consommation, ils peuvent pour un certain temps, se débrouiller avec un seul salaire. Maude quitte donc son travail. L'important pour eux, c'est qu'elle retrouve son équilibre émotif et physique. Même si son travail en vaut pourtant la peine, la jeune femme choisit donc la *fuite* plutôt que de continuer à *se battre* inutilement.

De nos jours, beaucoup vivent cet épuisement professionnel sans toutefois se permettre un temps d'arrêt comme Maude l'a fait. Malheureusement, tant que le travail ne sera pas organisé différemment, on retrouvera d'une part, des gens épuisés et tiraillés et, d'autre part, tous ces exclus à qui on refuse le droit au travail. Parfois, nous n'exerçons plus aucun contrôle sur un agent stressant et il ne nous reste plus alors qu'à tenter de limiter les dégâts.

Voilà pourquoi il est si important de contrer les autres stresseurs, petits ou grands, sur lesquels on peut agir. Je pense entre autres à ces fréquentes colères souvent sans commune mesure avec l'événement qui les a occasionnées. On donne l'impression de s'habituer à toutes ces agressions journalières jusqu'au jour où une douloureuse épreuve frappe sans crier gare. À bout de ressources, on craque. La phase de l'épuisement est atteinte.

Chapitre X

Faire face à la colère d'autrui

Les attitudes passives relativement à la colère d'autrui

Se mettre en colère est un exercice stressant, mais affronter un interlocuteur hostile l'est tout autant.

Tout le monde ne réagit pas de la même façon par rapport au danger. Avez-vous déjà entendu parler, ou avez-vous déjà été témoin d'un accident, où un automobiliste confronté à un danger, a tout simplement paniqué et n'a ainsi pas su éviter l'impact? Le choc psychologique subi à ce moment a été si brutal, qu'il a dépassé le potentiel d'adaptation de cette victime, entraînant un blocage total de réactions qui lui auraient peut-être permis d'éviter le danger auquel il faisait face.

En général, c'est ce qui arrive à celui qui fige, vis-à-vis de cris ou de toute autre manifestation d'un discours agressif. Sa réaction ressemble en tous points à celle de l'automobiliste en état de panique. Pourtant, lors de telles altercations verbales, l'une des personnes en viendra rarement aux coups en s'attaquant à l'autre. Devant une telle éventualité, il vaut mieux en effet baisser pavillon et battre en retraite. Mais la plupart du temps, les «hostilités» donnent plutôt lieu à un déversement de mots malicieux et malveillants, et le péril en soi n'est pas très redoutable.

Certes, cette paralysie momentanée peut se comprendre. La surprise provoque parfois cette réaction. Mais une fois l'effet de stupeur passé, certains persistent pourtant à se cantonner dans des comportements passifs, renonçant ainsi à faire respecter leurs goûts, leurs opinions ou leurs «droits». Selon toute vraisemblance, ils présument qu'en adoptant une attitude conciliante, ils auront la paix ou ils obtiendront l'appréciation d'autrui. Pourtant le scénario se déroule souvent tout autrement. Il arrive en effet qu'une fois leur vulnérabilité découverte, relativement à la colère, ces dernières deviennent les «têtes de Turc» sur lesquelles on se défoule. Dans d'autres circonstances, une personne agressive utilisera cette arme pour exercer un chantage émotif sur elles. Le message transmis, à peine voilé, est: «Tu fais ce que j'exige ou tu subis ma rage.» Un régime dictatorial s'instaure peu à peu dans ces relations.

D'autre part, l'inévitable se produira chez ceux qui adoptent un comportement passif vis-à-vis de l'hostilité. Ils accumuleront peu à peu nombre de frustrations et apparaîtront alors des manifestations de maladies psychosomatiques tels les maux de tête, les ulcères, la dépression. L'excès de stress aura fait son œuvre.

Répondre à l'hostilité par l'hostilité: «Oeil pour œil, dent pour dent»?

À l'opposé de ces attitudes passives, certaines personnes deviennent elles-mêmes agressives vis-à-vis de l'expression de l'hostilité, ce qui n'est guère plus avantageux. Elles croient qu'en ne réagissant pas aux attaques verbales avec autant d'hostilité que leur interlocuteur, elles prouvent ainsi qu'elles sont bonasses, niaises, et sans caractère. Cette croyance est fort répandue.

Par ailleurs, certains valorisent fortement l'agressivité dans la communication, confondant cette attitude avec l'affirmation de soi. Ils soulignent donc avec admiration la performance verbale déployée par l'un ou l'autre des antagonistes lors d'une altercation verbale: «Il lui a cloué le bec». Cette expression populaire illustre bien les épithètes élogieuses de «puissant», «vainqueur», «adroit» apposées souvent à celui qui réagit avec virulence aux attaques verbales.

Comment ne pas soupçonner les sentiments de dévalorisation qui tiraillent celui qui ne réagit pas avec autant de rudesse ardente que son interlocuteur qui l'insulte? «Je suis un faible, un niais; j'aurais dû répondre du tac au tac.» Les répliques du moment sont empreintes la plupart du temps de sarcasmes ou d'une forme quelconque d'hostilité. Si telle est votre conviction, il n'est pas étonnant alors que vous croyiez sauver votre intégrité et votre honneur en rétorquant sur le même ton.

Voilà donc les véritables cibles sur lesquelles vous auriez avantage à déployer vos efforts si vous avez tendance à mal réagir quand vous devez affronter quelqu'un qui, les dents serrées, la voix de plus en plus forte, le doigt menaçant, gesticule et vous adresse des reproches. Après avoir constaté le pouvoir que vous détenez sur vos pensées, vous serez moins enclin à percevoir l'interlocuteur acariâtre comme «l'ennemi numéro un» à neutraliser, et vous apprendrez plutôt à y faire face efficacement. Ce travail comportera moins d'aléas que de vouloir changer cette personne.

Désamorcer la colère d'autrui

Certes, au cours des différentes relations que vous établirez, il vous arrivera sans doute encore de devoir subir la colère d'autrui. En pensant de façon plus réaliste, il vous sera dorénavant plus facile de la désamorcer. Vous y parviendrez, en gardant votre calme et en montrant à votre interlocuteur que vous êtes prêt à discuter avec lui, mais à condition toutefois qu'il se calme. En voici un exemple:

Daniel travaille dans son bureau, quand soudain sa superviseure Hélène y fait irruption et ferme la porte avec fracas. «*Ça y est, la patronne est furieuse*» se dit Daniel.

Voyons le dialogue échangé:

Hélène: «Le rapport que tu m'as remis est rempli d'erreurs. Tu es vraiment incompétent. Je dois remettre ce document demain matin. C'est encore moi qui devrai le corriger. À quelle heure crois-tu que je quitterai? Tu te fies constamment sur moi.»

Daniel: «Si tu penses que j'ai fait autant d'erreurs, je comprends que tu sois fâchée. Mais j'aimerais que nous regardions ensemble ce rapport.»

Hélène: «Je me demande si ça vaut la peine de perdre mon temps avec toi. Tu ne comprends jamais rien. Je dois te répéter cent fois la même chose.»

Daniel: «À mon avis, la meilleure façon de sauver du temps serait qu'on revoit le dossier en entier. Si j'ai les renseignements nécessaires pour corriger les erreurs que tu as décelées, je suis prêt à le faire. Mais je ne veux pas que tu cries après moi de la sorte. Si nous sommes calmes tous les deux, letravail s'effectuera plus rapidement.»

Hélène: «Ça va, ça va... Regardons tout ça.»

Pour Daniel, comme pour tout le monde d'ailleurs, le plus difficile dans une telle situation, c'est de recevoir des reproches sans savoir s'ils sont fondés et sans même riposter. Mais, pour cet employé, ce n'est pas le temps de prouver à sa patronne qu'elle se trompe en le traitant d'incompétent, qu'elle l'accuse de toujours se fier sur elle, et de ne jamais rien comprendre. Ce qui importe pour le moment, c'est de créer un climat propice au travail.

En effet, si Daniel s'était engagé dans des justifications stériles, cela n'aurait fait qu'augmenter leur stress réciproque, leur faisant perdre ainsi les énergies nécessaires pour terminer le dossier à temps. Il sera toujours temps demain, après avoir pris rendez-vous avec sa superviseure, de revenir sur ces vagues critiques. Il lui rappellera les reproches formulés, lui demandera de préciser sa pensée, et dans quelles circonstances a-t-il agi comme elle le prétend? Si Hélène lui donne des exemples précis, Daniel verra si ces critiques sont fondées. Si tel est le cas, il aura alors avantage à reconnaître ses erreurs et à en chercher la cause.

Au contraire, si la colère d'Hélène était plutôt le résultat d'un excès de stress, elle lui dira probablement: «Oublie ça, j'ai exagéré, j'étais stressée». Ces explication seraient l'occasion pour Daniel de faire remarquer de nouveau à sa patronne qu'il veut bien comprendre son stress, mais qu'il refuse d'être traité de cette façon.

Comme on le voit, la réaction adéquate de Daniel relativement à la colère d'Hélène a porté fruit. S'il avait laissé libre cours à ses émotions en explosant à son tour, la relation aurait pu devenir conflictuelle, engendrant ainsi un processus de stress tout aussi coûteux en temps et en énergie pour Daniel que pour Hélène.

Bien entendu, les problèmes de communication, particulièrement nombreux en milieu de travail, sont une source importante de stress. Mais comme on ne peut pas toujours claquer la porte pour s'y soustraire, mieux vaut donc tenter de s'adapter.

Affronter la colère d'autrui avec empathie

Certes, faire montre de compréhension envers la personne qui déverse sa colère sur vous constitue l'une des qualités de communication les plus difficiles à acquérir, compte tenu de l'anxiété qui accompagne cette situation. Cependant, cet effort vaut néanmoins la peine d'être déployé, surtout s'il s'agit d'une relation significative que vous ne voulez pas voir se détériorer : votre relation de couple habituellement harmonieuse, une amitié solide, un membre de votre famille auquel vous tenez, etc.

D'autre part, le calme revenu, il sera primordial d'exprimer à votre tour vos sentiments, relativement aux propos de la personne en colère : «Je comprends ton mécontentement, mais je n'ai pas aimé ta réaction. Je n'accepte pas que tu me parles ainsi. Maintenant que nous sommes calmes tous les deux, je veux discuter de ce problème». Cette attitude compréhensive mais ferme, empêche parfois la répétition de ces pertes de contrôle, évitant ainsi la destruction définitive d'une relation par ailleurs valable. Toutefois, si d'une façon répétitive quelqu'un vous bafoue, vous offense gravement, ou porte atteinte à vos intérêts sans que vous ayez de pouvoir pour faire cesser ces abus, mieux vaut parfois vous éloigner, de façon temporaire ou définitive, au lieu de vous sentir furieux ou révolté quasi continuellement.

Cependant, même si vous détestez la manière dont vous traite telle personne – c'est un être humain comme vous – et, à ce titre, essayez de ne pas la condamner. Car selon Hans Selye : «Parmi toutes les émotions, il en est une qui, plus que les autres, justifie la présence de stress nocif dans les relations humaines, c'est la haine et le besoin de vengeance». Ce stress prolongé devient vite harassant, car il s'accompagne toujours de perturbations physiologiques de l'organisme auxquelles vous devez chaque fois vous adapter.

Voilà pourquoi, dans certains cas, après en avoir évalué les conséquences, fuir devient parfois la solution ultime pour vous soustraire au stress et préserver ainsi votre équilibre.

Stratégie antistress

Vérifiez votre degré de compréhension (voir réponses à la fin de l'exercice).

Répondez par VRAI ou FAUX

1. L'agressivité, l'hostilité, la colère, la fureur, la rage sont des émotions similaires.   _____

2. La colère est causée par les idées que nous entretenons à l'occasion d'événements qui nous déplaisent.   _____

3. Les lois naturelles s'appliquent toujours automatiquement.   _____

4. Les lois proclamées par les êtres humains ne s'appliquent que si nous y consentons.   _____

5. Ce qui nous plaît devrait arriver et ce qui nous déplaît ne devrait pas arriver.   _____

6. Si nous reconnaissons aux autres le droit d'agir comme ils le veulent, nous serons forcément exploités.   _____

7. Comme l'hostilité est naturelle, rien ne sert de travailler à contrôler cette émotion.   _____

8. On peut se débarrasser complètement de cette émotion.   _____

9. La colère masque souvent d'autres émotions comme la peur, la jalousie, ou les sentiments d'infériorité.   _____

10. Une personne extérieure peut nous donner *l'occasion de nous bouleverser*.   _____

11. On peut exprimer sainement sa colère.   _____

12. Supporter les agressions sans réagir, crée un stress prolongé, plus dommageable qu'une colère passagère.   _____

13. L'expression de la colère peut dépasser les bornes et devenir de la violence verbale et même physique. _____

14. La colère peut engendrer des inconvénients importants.   _____

Réponses à l'exercice «Vérifiez votre degré de compréhension»

1. V	8. F
2. V	9. V
3. V	10. V
4. V	11. V
5. F	12. V
6. F	13. V
7. F	14. V

Si vous avez répondu de façon erronée à au moins trois reprises, vous auriez avantage à relire le début du chapitre X jusqu'ici.

Connaissance de soi

1. Avez-vous une propension marquée à la colère?

2. À quelle occasion, et contre qui surtout, manifestez-vous votre colère?

3. Trouvez-vous que vous exprimez votre colère d'une façon adéquate?

4. Êtes-vous porté au contraire à refouler votre colère?

5. Pourquoi agissez-vous ainsi?

6. Que pourriez-vous faire pour améliorer cette situation?

7. Que faites-vous vis-à-vis quelqu'un qui est en colère?

8. Pourquoi agissez-vous ainsi?

9. Si votre réaction vous occasionne du stress, que pouvez-vous faire pour la changer?

_____

_____

Vers l'équilibre

La prochaine fois que quelqu'un tentera de vous nuire, comportez-vous de façon ferme, affirmative, mais sans hostilité.

Chapitre XI

La culpabilité, les sentiments dépressifs et le stress

La culpabilité

Cette émotion se classe parmi les agents stressants les plus pénibles. Que de douleur contenue dans ces petits mots: *« Si j'avais su... » ou « J'aurais donc dû... »*

Au chapitre précédent, nous avons vu à quel point cette croyance – à savoir que *les autres auraient dû*, ou au contraire *n'auraient pas dû* poser tel geste – engendre souvent la colère. Dans le même ordre d'idées, la culpabilité naît de ce même fondement. La seule distinction, nous nous adressons à *nous-même* ces reproches: *« Je ne devrais pas... » « Je n'aurais pas dû »*, ou au contraire: *« J'aurais dû* me comporter de telle façon ». La culpabilité n'est au fond qu'une forme de colère dirigée contre soi-même.

L'être humain et ses limites

Cependant, après une analyse lucide des cognitions soustendant cette émotion, il nous faut bien conclure à leur illogisme. Ainsi, de par sa nature, l'être humain est sujet à l'erreur, ce qui l'amène parfois à poser des gestes nuisibles, soit pour autrui ou pour lui. Par conséquent, vous répéter: *« J'aurais dû... » ou « Je n'aurais pas dû... »*, c'est nier, pour ainsi dire, votre condition d'être humain.

Il est important toutefois de ne pas confondre cette forme de culpabilité avec la culpabilité légale. Certaines personnes sont déclarées coupables par les tribunaux faute d'avoir respecté les lois en vigueur dans notre société. Elles sont alors condamnées à des peines plus ou moins sévères dont l'avantage est de nous préserver du désordre social. Cette notion est tout à fait différente de la culpabilité éprouvée par une personne se condamnant elle-même, car à ses yeux, elle a transgressé son propre code de loi: «*Je n'aurais pas dû* perdre patience avec mon enfant» «*Je devrais* faire moins d'erreurs dans mon travail», «*J'aurais dû* m'y prendre d'une autre façon pour gérer mon entreprise». Ces idées donnent naissance aux sentiments de culpabilité, apportant ainsi souffrance et stress.

L'égoïsme de l'être humain

Pour démontrer avec plus de vigueur l'irréalisme des idées qui génèrent la culpabilité, analysons maintenant une facette du fonctionnement naturel de l'être humain. Comme le dit Hans Selye: «L'égoïsme est le trait caractéristique le plus ancien de la vie. Depuis le plus simple des micro-organismes jusqu'à l'homme, toutes les créatures vivantes doivent avant tout protéger leurs propres intérêts».

Comme nous l'avons souligné précédemment, les premiers hommes durent se battre entre eux pour s'approprier d'une manière égoïste les éléments essentiels à leur survie. Aujourd'hui, ces luttes ne sont plus nécessaires pour demeurer vivants, mais cette forme naturelle d'égoïsme semble biologiquement inscrite dans nos gènes. Par conséquent, influencés par cette tendance, chaque geste posé, l'est inconsciemment en fonction des avantages que nous espérons en retirer. Car, à moins d'être sérieusement perturbé, personne n'agit consciemment contre ses intérêts.

Toutefois, le plus souvent, nous évaluons mal nos avantages ou nous ne les évaluons qu'à court terme. À force de subir des conséquences fâcheuses, nous en venons à répéter les fameux mots de passe qui conduisent infailliblement à la culpabilité: «*J'aurais dû*» ou «*Je n'aurais pas dû*».

En considérant cette manière de fonctionner de l'être humain, nous aurions donc intérêt à évaluer nos gestes maladroits d'une façon plus réaliste, en disant par exemple: «Ce que j'ai fait est incorrect. J'ai mal évalué mes avantages. Malheureusement, je suis un être humain faillible». En pensant ainsi, nous ressentirons probablement des émotions de tristesse et de regret, mais ces sentiments seront moins douloureux et stressants que la culpabilité. À ce moment, nous utiliserons cette énergie épargnée à réparer notre erreur, si c'est possible, sinon à nous organiser pour ne pas la répéter.

Par ailleurs, il ne serait toutefois pas intelligent d'utiliser cette notion «d'égoïsme naturel»pour excuser ou justifier nos actes malveillants et pour nous y complaire. Comme nous vivons en société il serait désavantageux à long terme de tenir compte de nos seuls intérêts au détriment de ceux des autres. Cet égoïsme maladroit nous amènerait à vivre dans un environnement où prévaudrait la loi du plus fort. Et notre contribution à la formation de cette situation explosive conduirait inévitablement au conflit et à l'insécurité de tous.

Les conséquences de la culpabilité

Évidemment, cette émotion peut engendrer des conséquences graves. À preuve, ces personnes dont les journaux relatent leur histoire. Après avoir dilapidé au jeu l'argent destiné à leur famille, dans un geste de désespoir, elles se suicident. À la douleur de la culpabilité, elles ont préféré la mort. L'autopunition ne se manifeste pas toujours de façon aussi brutale, mais elle engendre toujours l'anxiété et le stress. D'où l'importance de reconnaître sa responsabilité dans les gestes inadéquats qu'on a posés, mais en évitant toutefois de s'en blâmer. À ce moment, assumer les conséquences de ses actes, réparer si c'est possible, et tourner la page par la suite permettra de passer à autre chose de plus constructif.

La culpabilité: une entrave au changement

Bien sûr, la culpabilité engendre une souffrance telle que, pour y échapper, l'être humain tentera parfois de justifier ses actes répréhensibles en utilisant un mécanisme de défense: Sigmund Freud l'a nommé la «rationalisation». Y recourir, c'est s'évertuer à trouver des motifs à ses erreurs, à inventer des prétextes, et même jusqu'à déformer les faits. On retrouve ce mécanisme de défense dans l'exemple de l'élève qui, après avoir négligé d'étudier durant l'année, évoquera comme raisons de son échec la sévérité extrême des correcteurs à son endroit, ou les questions posées en dehors du programme. Mais, devant ses piètres résultats, l'élève se sentirait probablement coupable s'il reconnaissait sa nonchalance, car la plupart des gens croient que ce qui est *bien* (en l'occurrence, étudier) est obligatoire et se doit d'être accompli, alors que ce qui est mauvais (en l'occurrence, paresser) est interdit et à proscrire.

En remplaçant ces principes absolus par des règles de conduite basées sur ce qui est avantageux ou non, utile ou nuisible, cet étudiant ou comme toute personne d'ailleurs, n'aurait pas à recourir à la rationalisation pour éviter la *culpabilité*. Il pourrait tout simplement reconnaître sa *responsabilité*, et par la suite décider de changer et d'étudier.

La culpabilité: voie ouverte aux sentiments dépressifs

Si la culpabilité constitue souvent une entrave au changement, cette émotion comporte un autre inconvénient tout aussi néfaste, soit celui de conduire aux sentiments dépressifs que nous avons appelés jusqu'ici «dévalorisation».

À ce moment, la personne qui se culpabilise ajoutera à sa croyance initiale cette conclusion irréaliste: «Puisque j'ai agi comme je l'ai fait, je suis un être abject, méprisable, méchant, sans valeur, etc.»

Voyons quelques exemples:

– Après une dure journée de travail, vous refusez de participer avec votre copine à une de ses activités préférées. Par la suite, vous vous dites intérieurement: «*J'aurais dû faire un effort (culpabilité). Je ne suis qu'un égoïste (sentiments dépressifs).*

– Dans un groupe, vous donnez votre opinion et on vous démontre que vous êtes dans l'erreur. Vous pensez aussitôt: «*J'aurais donc dû mieux me documenter ou me taire*» (culpabilité), «*Je suis tellement stupide*» (sentiments dépressifs).

– Vous partez pour le travail et votre enfant pleure. En route pour le bureau, vous êtes encore hantée par cette pensée: «*Je devrais m'organiser pour être plus souvent avec lui (culpabilité). Je suis une mauvaise mère (sentiments dépressifs).*»

En somme, s'il vous arrive en diverses occasions d'être enclin à vous en vouloir et à vous percevoir d'une façon aussi méprisante, ne soyez donc pas surpris d'être fréquemment en proie au stress.

Les sentiments dépressifs et le stress

Pour éviter toute méprise, il m'apparaît tout d'abord important de faire la distinction entre «*l'état dépressif*» et les «*sen-*

timents dépressifs». *L'état dépressif* peut être défini comme étant la condition dans laquelle se retrouvent certains individus, suite à un événement auquel ils n'arrivent pas à s'adapter.

Qu'il s'agisse d'un échec quelconque, du décès d'un être cher, ou encore du rejet dont ils sont victimes, *la manière de prendre* cette adversité provoquera chez eux une kyrielle d'émotions parmi lesquelles se retrouvent, entre autres, la tristesse, le découragement, la culpabilité, l'anxiété et les sentiments dépressifs. Des facteurs physiologiques s'ajoutant à ces émotions, on dit de ces personnes qu'elles sont dans un «état dépressif» ou qu'elles «font une dépression».

Je n'élaborerai pas davantage sur cet état, car ce sujet fait l'objet d'un volume écrit par Lucien Auger : *Prévenir et surmonter la déprime*[1]. Quant aux *sentiments dépressifs*, ils ne sont pas réservés exclusivement aux gens en dépression ; ils découlent de notre propre évaluation négative de nous-même : «Je ne vaux rien», «Je suis un raté», «Je suis imbécile, un idiot, un con, un épais», et j'en passe.

Pour sa part, celui qui se considère moindre qu'un autre, ressent un sentiment d'infériorité, et il croit n'être jamais à la hauteur, particulièrement vis-à-vis d'une situation nouvelle. Si on considère que cette attitude demande chaque fois d'importants efforts d'adaptation, on peut conclure que cette personne est alors engagée dans un processus permanent de stress.

Influence de l'enfance

Pour mieux comprendre le phénomène généralisé d'allouer une valeur inégale et changeante aux êtres humains, faisons une incursion dans votre enfance.

Comme la plupart des gens, on vous a sans doute étiqueté «bon» ou «mauvais» dès les premiers mois de votre existence. Si, peu de temps après votre naissance, vous dormiez durant la nuit sans vous réveiller avant la tétée de 6 heures, vous étiez de bonne humeur durant le jour et, condition ultime, vous aviez peu de coliques, on disait de vous que vous étiez un bébé facile, gentil, un «bon» bébé en somme.

---

1. Auger, Lucien. *Prévenir et surmonter la déprime*. Les Éditions de l'Homme, Montréal, 1984.

Par contre, si vous avez marché ou parlé un peu plus tard que ne l'a fait votre frère Alain ou votre cousine Stéphanie, qu'on qualifiait de «précoces», on vous affublait, sans méchanceté bien sûr, du qualificatif de «paresseux». Le même manège s'est poursuivi sur les bancs d'école où subtilement on vous décernait le titre de «bon élève» en raison de vos succès ou de votre bonne conduite. Qui ne se souvient en effet de cette médaille d'or qu'on portait si fièrement, de ces étoiles et de ces petits anges collés dans nos cahiers pour souligner notre application, ou encore de notre nom inscrit au tableau d'honneur?

Au contraire, si vous étiez plutôt du genre turbulent, ou si vos succès n'étaient pas dignes de mention, on vous désignait comme un «élève moyen», ou même un «mauvais élève». Sans le dire explicitement, on vous accolait une valeur plus ou moins élevée. C'est pourquoi vous avez donc appris très jeune qu'en agissant «bien», vous récoltiez approbation et estime de votre entourage, et que, par conséquent, vous pouviez vous-même vous considérer comme une personne valable.

Mais quand l'inverse se produisait et qu'on vous faisait des remontrances à propos de certains de vos comportements jugés inacceptables, malheureusement, votre évaluation personnelle devenait fort différente: «On ne m'estime pas, car je ne suis pas valable et je ne suis pas bon».

Et peu à peu, ces croyances se sont progressivement gravées dans votre esprit, si bien que, devenu adulte, si vous ne les avez jamais remises en doute, elles influencent d'une façon insidieuse votre vie. Vous comme moi avons été soumis à ces conditionnements, afin de nous amener à nous comporter d'une manière socialement acceptable. Inutile donc de blâmer qui que ce soit pour ce mode de fonctionnement que vous perpétuez sans doute auprès de vos propres enfants.

En définitive, cette habitude est si bien ancrée qu'il est peut-être un peu utopique de croire que tous les êtres humains cesseront un jour radicalement de s'évaluer ou d'évaluer leurs semblables selon certains critères. Mais de votre côté toutefois, ne serait-il pas logique de consacrer quelques efforts à combattre ces croyances qui donnent naissance au mépris de soi ou des autres? Pour y parvenir, la démarche émotivo-rationnelle vous propose donc d'analyser d'abord cette croyance populaire, selon laquelle la valeur d'un être humain peut augmenter ou diminuer selon les circonstances.

La valeur d'un être humain

Comme toutes les autres émotions, les sentiments dépressifs – appelés également dévalorisation personnelle, ou encore, mésestime de soi – tirent leur origine d'une croyance bien précise:

«Ma valeur comme être humain diminue»

Pour vérifier le réalisme de cette idée, demandons-nous donc d'abord si, en tant qu'être humain, nous possédons une valeur. Si oui, cette valeur peut-elle augmenter ou diminuer? La philosophie émotivo-rationnelle tente de répondre à cette question en insistant en premier lieu sur la différence existant entre la valeur extrinsèque et la valeur intrinsèque d'un être humain.

Valeur extrinsèque

Pour comprendre cette notion, prenons l'exemple de Chantal. Cette jeune femme est dotée de multiples caractéristiques, comme tout être humain d'ailleurs. Elle a bien sûr ses petites manies, ses défauts, ses qualités, et sa propre façon de penser et d'agir, selon les différentes circonstances. Tout ça constitue la personnalité de Chantal. Sa principale faiblesse, c'est son problème d'alcoolisme, et sa plus grande force est son sens de l'organisation.

En outre, si vous voulez la connaître davantage, je vous dirai qu'elle travaille dans un centre d'accueil pour personnes âgées. À cet endroit, certains bénéficiaires l'apprécient pour son entrain, alors que d'autres la trouvent exubérante et énervante.

Chantal est une personne très engagée socialement. Elle est représentante syndicale, s'est battue durant plusieurs années pour le droit des femmes à l'avortement et, de plus, elle soutient de nombreux comités d'aide aux démunis.

On peut donc affirmer que cette personne est appréciée par ceux qu'elle aide, méprisée par les défenseurs du droit à la vie, et perçue par ses patrons comme une emmerdeuse. Ainsi, sa valeur extrinsèque, qui lui est octroyée par les autres en fonction de leurs goûts, de leurs désirs ou de leurs besoins, est donc, tantôt à la hausse, tantôt à la baisse. Ce concept subjectif est variable. Le dictionnaire définit ainsi le mot extrinsèque: «Qui est extérieur à l'objet dont il s'agit, qui n'appartient pas à son essence. Synonyme: fictif.»

Valeur intrinsèque

À l'inverse, la valeur intrinsèque d'une personne est une notion tout à fait différente. Si vous vous référez de nouveau au dictionnaire, vous y retrouverez la définition suivante: «Qui est intérieur à l'objet dont il s'agit, qui appartient à son essence. Valeur qu'un objet tient de sa nature propre et non d'une convention.»

On peut donc se poser la question suivante: En soi, dans son essence, de par sa nature, quelle est la valeur de Chantal ou de tout être humain? Difficile de répondre à cette question philosophique, n'est-ce pas? Mais ce qu'on peut affirmer toutefois sans risquer de se tromper, c'est que si l'être humain possède une valeur en tant que personne, cette valeur est la même pour tous.

En effet, un chat, c'est un chat... qu'il soit doux ou agressif, petit ou gros, jeune ou vieux, aimé par son maître ou détesté par les voisins. Ce chat attrape les souris, miaule, grimpe aux arbres; bref, il agit comme un chat. Il en est ainsi de tout être humain quel qu'il soit: travailleur, chômeur, assisté social, ou professionnel, apprécié ou détesté, ayant réussi ou échoué, posant des gestes répréhensibles ou héroïques. Un être humain ne peut être plus humain qu'un autre, tout comme un chat ne peut être plus chat qu'un autre chat.

Quand vous traitez quelqu'un de «niais», «d'imbécile», «de salaud», «de raté», etc., vous faites une erreur, car vous confondez sa personne avec ses actes posés. Cette évaluation vous amène à le mépriser, à le haïr: des sentiments générant un stress intense. Et quand vous agissez ainsi avec vous-même, des sentiments dépressifs apparaissent, engendrant stress et mal de vivre.

Donc si vous voulez éviter de ressentir ces émotions désagréables, rappelez-vous que tout le monde un jour ou l'autre peut faire des sottises, des niaiseries, des imbécillités, voire même des méchancetés, mais vous aurez toujours devant vous quand même un être humain. Tout le reste n'est que confusion et fausseté. En conclusion, continuez d'évaluer vos actes pour changer ceux qui vous paraissent nuisibles pour autrui ou pour vous, mais cessez de vous évaluer en tant que personne.

Vous trouvez que cette forme de pensée est discutable? Sachez qu'elle n'est pas exclusive à la philosophie émotivo-rationnelle puisqu'on la retrouve dans cet énoncé d'Épictète: «De tels raisonnements ne sont pas cohérents: «Je suis plus riche que toi, donc je te suis supérieur». Mais ceux-ci sont cohérents: «Je suis plus riche que toi, donc ma richesse est supérieure à la tienne. Je suis plus éloquent que toi, donc mon élocution est supérieure à la tienne». Mais tu n'es toi-même ni richesse ni élocution.» (Manuel, VLIV)

Stratégie antistress

Vérifiez votre degré de compréhension

Répondez par VRAI ou FAUX

1. La cause de la culpabilité réside dans la croyance suivante: «j'aurais dû» ou «je n'aurais pas dû». _____

2. Certaines personnes peuvent nous culpabiliser. _____

3. On sait toujours à l'avance si ce qu'on fait sera désavantageux pour soi. _____

4. Se *sentir* coupable et être *jugé «coupable»* par les tribunaux, c'est la même chose. _____

5. Il existe une forme naturelle d'égoïsme chez tout être humain. _____

6. La notion «d'égoïsme naturel» justifie les actes mauvais d'un être humain. _____

7. La culpabilité est une bonne chose. _____

8. La rationalisation empêche parfois un individu de changer. _____

9. Ce qui est *bien* est obligatoire et se *doit* d'être accompli. _____

10. Les *sentiments* dépressifs et *l'état* dépressif, c'est la même chose. _____

11. Si je me sens coupable, j'ai de fortes chances de ressentir des sentiments dépressifs par la suite. _____

12. Une personne qui se dévalorise ou qui se sent inférieure aux autres sera fréquemment stressée. _____

13. La valeur intrinsèque et la valeur extrinsèque d'un être humain sont des notions identiques. _____

14. Quelqu'un qui agit méchamment peut devenir moins qu'un être humain. _____

15. Certaines personnes valent plus que d'autres intrinsèquement. _____

Réponses aux questions «Vérifiez votre degré de compréhension

1. V	9. F
2. F	10. F
3. F	11. V
4. F	12. V
5. V	13. F
6. F	14. F
7. F	15. F
8. V	

Si vous avez répondu de façon erronée à au moins trois reprises, vous auriez avantage à relire le début du chapitre XI jusqu'ici.

Connaissance de soi

1. À propos de quoi vous sentez-vous coupable?

_____

_____

_____

_____

_____

2. Dans quelles circonstances êtes-vous porté à vous trouver imbécile, nul, méchant, etc.?

_____

_____

_____

_____

_____

Vers l'équilibre

1. Référez-vous au n° 1 de l'exercice précédent et, si c'est possible, réparez ce qui vous occasionne de la culpabilité. Sinon, trouvez une façon d'éviter cette erreur dans l'avenir.

2. Cette semaine, répétez-vous souvent: «Je suis un être humain et rien d'autre.»

Chapitre XII

Les changements majeurs et le stress

Jusqu'à présent, nous avons insisté sur le stress psychologique ressenti à l'occasion des événements quotidiens qui jalonnent notre existence. Attardons-nous maintenant sur le stress à l'origine d'un changement majeur, quel qu'il soit. Nous examinerons de plus près quelques-uns d'entre eux.

En effet, les docteurs Holmes et Rahe, deux psychiatres américains, ont fait un tour d'horizon des principaux événements susceptibles de survenir dans la vie d'une personne, puis ils les ont numérotés, en fonction de leur importance et de l'impact que chacun d'eux risquait d'occasionner. En examinant le tableau qu'ils vous proposent, vous réaliserez que les événements heureux, de par leur caractère de nouveauté, sont tout autant porteurs de stress que les événements malheureux: par exemple, l'arrivée d'un nouveau membre dans la famille équivaut, d'après ces psychiatres, à une dose de stress de 39 points. Si vous avez déjà un enfant, vous savez par expérience à quel point sa venue a engendré de changements auxquels votre famille et vous avez eu à vous adapter. Ce bouleversement dans vos habitudes de vie, a sans doute entraîné une grande dépense d'énergie.

Au départ, il est toutefois important de spécifier que leur échelle du stress, établie à partir d'indices recueillis scientifiquement, ne constitue tout de même qu'une hypothèse car, durant une période de crise, chacun réagit à sa façon. Rappelons aussi qu'un changement planifié et assumé, n'a pas le même impact qu'un changement imprévu ou imposé.

Le tableau que nous vous proposons maintenant ne contient pas une liste exhaustive de tous les événements qui entraînent un changement majeur. Vous pourriez sans doute en ajouter d'autres provenant de votre propre expérience. Si vous avez vécu ceux-ci récemment, la lecture de ce chapitre vous fera peut-être découvrir les raisons de votre fatigue excessive, de votre difficulté à vivre le quotidien, ou de votre manque d'enthousiasme devant le moindre défi à relever. Nous le reproduisons donc en espérant que vous saurez l'interpréter avec circonspection.

Dose de stress en fonction du changement

Mort d'un conjoint	100
Divorce	73
Séparation de sa femme ou de son mari	65
Temps passé en prison	63
Mort d'un parent proche	63
Blessure ou maladie	53
Mariage	50
Licenciement	47
Réconciliation (avec sa femme ou son mari)	45
Retraite	45
Ennui de santé d'un parent proche	44
Grossesse	40
Problèmes sexuels	39
Arrivée d'un nouveau membre dans la famille	39
Problèmes d'affaires	39
Modification de situation financière	38
Mort d'un ami intime	37
Changement de situation	36
Multiplication des disputes conjugales	35
Hypothèque ou dette de plus de 50 000$	31
Saisie d'une hypothèque ou échéance d'un emprunt	30
Changement de responsabilités professionnelles	29
Fils ou fille quittant la maison	29
Problèmes avec les beaux-parents	29
Exploit personnel marquant	28
Épouse se mettant à travailler ou s'arrêtant de travailler	26
Début ou fin de scolarité	26

Changements de conditions de vie	25
Modifications d'habitudes personnelles	24
Difficultés avec un patron	23
Changements d'horaires ou de conditions de travail	20
Déménagement	20
Changement d'école	20
Changement de loisirs	19
Changement religieux	19
Changement d'activités sociales	18
Hypothèque ou emprunt de moins de 50 000$	17
Changement dans les habitudes du sommeil	16
Changement de rythme des réunions de famille	15
Changement des habitudes alimentaires	15
Vacances	13
Noël	12
Amendes ou contraventions	11

La mort d'un être cher

Selon l'échelle de stress établie par les docteurs Holmes et Rahe, la mort d'un conjoint atteindrait une dose maximale de stress évaluée à 100 points, tandis que celle d'un proche parent équivaudrait à 63 points.

Pour mieux comprendre la réaction d'un malade et de ses proches voyant venir ce grand départ, commençons par un exemple.

Après une dure vie de labeur, Pierre, maintenant âgé de 60 ans, décide de prendre sa retraite. «Nous avons», dit-il à Véronique, sa conjointe, «de belles années devant nous. Profitons-en.» Les premiers six mois se déroulent dans l'euphorie, mais la fatigue a tôt fait de forcer notre retraité à ralentir son rythme de vie. Même s'il est convaincu que tout rentrera dans l'ordre en réduisant quelque peu ses activités, plus les jours passent, plus il se sent épuisé.

À plusieurs reprises, Véronique lui suggère de consulter un médecin, mais il s'y refuse jusqu'au jour où, pris de vertiges, il s'effondre dans la salle de bain. Même s'il reprend rapidement conscience, Véronique s'empresse de le conduire à l'hôpital. Cette fois, Pierre n'offre aucune résistance, sachant bien que ça ne va pas. Après quelques heures d'attente passées à l'urgence, les médecins s'affairent enfin autour de lui, lui font décrire les symptômes ressentis et, par la suite, le soumettent à une batterie de tests.

Quelques jours plus tard, le diagnostic s'abat brutalement sur lui: cancer et, à ce stade, la maladie est incurable. D'abord incrédule, Pierre exige une consultation avec d'autres spécialistes, mais le verdict demeurera le même. Révolté, il affirme que la vie est injuste, et qu'il ne mérite pas ça; lui qui a élevé sa famille en travaillant comme un forcené, tout en rêvant aux beaux jours de sa retraite. Du même coup, il se blâme de ne pas avoir consulté à temps. Lui qui n'a pas prié depuis longtemps, s'adresse maintenant à Dieu et L'implore de Lui donner quelques années de plus à vivre. En retour, il Lui promet de recommencer sa pratique religieuse dès qu'il sera sur pied. Les émotions de Pierre sont à fleur de peau.

Puis, les médecins lui suggèrent des traitements qui pourraient le prolonger de quelques mois. Après quelques jours de réflexion durant lesquels il a beaucoup pleuré, il les refuse. Il ne veut pas vivre dans les conditions décrites.

Six mois plus tard, après être passé par toute la gamme des émotions désagréables, Pierre, maintenant serein, succombe à la maladie.

Les étapes du deuil

En somme, pour Pierre et les siens, les mois qui ont suivi le diagnostic ont été chargés d'émotions. Selon le docteure Elizabeth Kübler Ross, qui a effectué de nombreuses recherches sur la mort, la plupart des êtres humains sachant qu'ils vont bientôt mourir, traversent cinq étapes bien définies, que nous avons d'ailleurs pu observer chez Pierre.

1. Dénégation
2. Colère, révolte
3. Marchandage
4. Dépression ou isolement
5. Acceptation

Ceux qui restent

De plus, toujours selon le Dre Ross, ceux qui restent, traversent les mêmes étapes que le patient lui-même. Si la mort survient subitement, soit à la suite d'un accident ou d'une maladie non déclarée auparavant, les proches seront d'abord sous le choc. Puis, peu à peu, ils sortiront de leur torpeur, et commencera alors le processus du deuil.

Par contre, si la maladie a évolué lentement, les proches du patient vivront ces étapes de façon graduelle, jusqu'à son décès. Souvent, à ce moment, seule subsistera une tristesse plus ou moins intense. Notons toutefois, que ceux qui perdent un proche, ne traversent pas infailliblement toutes ces étapes et ne les franchissent pas non plus nécessairement au même rythme. L'ordre dans lequel se présentent ces étapes peut également varier d'une personne à l'autre. Malgré cela, il n'en demeure pas moins que leur description peut vous aider à comprendre ce qui arrive à ceux qui traversent une telle épreuve.

L'aspect émotif de la mort d'un proche

Comme nous l'avons démontré à plusieurs reprises depuis le début de notre réflexion sur le stress, nos émotions proviennent en grande partie de nos pensées, de nos croyances, en d'autres mots, de nos cognitions. La mort d'un être cher n'échappe pas à cette règle, même si, au premier abord, on peut douter qu'il soit possible d'appliquer ce principe à un événement aussi douloureux.

Ainsi, la *RÉVOLTE* sera souvent le premier sentiment qui se manifestera: «C'est injuste! Pourquoi lui?» Sa présence démontrera que les proches de celui qui est mort, ou qui va bientôt mourir, ont franchi l'étape de la dénégation et qu'ils prennent maintenant conscience de leur perte. Ce sentiment est fréquent et «normal», et il vaut certainement mieux l'exprimer que de le refouler. Mais si la révolte se prolonge dans le temps, elle risquera de causer un stress psychologique considérable.

Par ailleurs, l'intensité de cette émotion diminuera quand la personne concernée réalisera que, dans la nature, la notion de justice n'existe pas. En effet, si on regarde ce qui s'y passe: les tremblements de terre, les tempêtes tropicales, les inondations, la sécheresse, la famine, force est de constater que la nature ne se soucie guère du mérite ou du démérite des populations touchées. Il en est ainsi de la mort. Nous sommes des êtres humains et, comme tels, soumis à cette loi naturelle. Riche ou pauvre, jeune ou vieux, la mort ne se préoccupe donc pas de justice: elle frappe au hasard.

143

Bien entendu, vouloir garder avec nous des êtres chers est un souhait tout à fait légitime, mais nous enliser dans la révolte, c'est augmenter le stress qui accompagne ce changement.

Il est également important de souligner à nouveau que la révolte et la colère dissimulent habituellement d'autres émotions. La culpabilité, les sentiments dépressifs, l'anxiété et la tristesse sont de ce nombre.

La culpabilité et les sentiments dépressifs

D'autre part, le décès d'un être cher suscite chez ceux qui lui survivent, nombre de souvenirs, parfois doux, parfois amers. À cette occasion, il arrive fréquemment que les parents du disparu se culpabilisent au sujet de certains d'entre eux. Ainsi, qui d'entre nous n'a jamais rencontré de gens se reprochant de ne pas avoir dit à un défunt, de son vivant, à quel point ils l'aimaient. D'autres se blâmeront de ne pas lui avoir consacré assez de temps.

Parfois même, quand la maladie a perduré, certains se reprocheront d'avoir souhaité la mort du malade pour enfin être délivrés de ce lourd fardeau. Aujourd'hui, ils se sentent coupables et se méprisent d'avoir entretenu de telles pensées. Pour réduire son stress lors d'un tel événement, il faut cesser de se blâmer pour tous ces gestes ou toutes ces paroles que *nous aurions dû* ou *n'aurions pas dû* poser ou prononcer.

Ainsi, vous regrettez de n'avoir pas dit clairement «je t'aime» à la personne disparue, mais peut-être l'a-t-elle compris en raison de votre attitude? Et même si vous avez agi avec elle d'une façon que vous déplorez maintenant, dites-vous bien que vous n'y pouvez rien changer. Au lieu de vous culpabiliser, utilisez cette expérience pour examiner scrupuleusement votre vie. Si vous constatez être en effet peu attentif à vos êtres chers, déployez alors votre énergie à repenser et à changer certaines de vos attitudes. Par conséquent, au prochain décès d'un des vôtres, vous ne ressentirez pas les affres de la culpabilité et du mépris de vous-même.

Quant à ceux qui affirment avoir souhaité la mort du malade, ils auraient intérêt à considérer ceci: cette réaction est fréquente chez les aidants naturels, compte tenu de la fatigue physique et psychologique qui, tôt ou tard, s'empare d'eux. Ils ne sont pas des monstres pour autant, mais seulement des êtres humains soumis à des lois naturelles. Ainsi, dans le contexte, ces pensées sont indépendantes de leur volonté. De plus, elles n'ont pas le pouvoir magique de faire arriver les choses. Même si une personne surmenée a souhaité que la mort arrive au plus tôt et qu'elle est enfin survenue, elle ne l'a pas suscitée pour autant. C'est plutôt la conséquence d'un certain nombre d'éléments sur lesquels la médecine actuelle n'a pas de contrôle.

L'anxiété

Il est une autre émotion sous-jacente à la révolte, c'est l'anxiété: «Que me réserve l'avenir? De quoi sera-t-il fait?» La réponse à ces questions donnera le ton, soit à une inquiétude modérée, soit à une anxiété intense.

Lors du décès d'une personne dont les enfants sont encore jeunes, le survivant se sentira souvent écrasé sous le poids des responsabilités qui lui incombent maintenant complètement.

Parfois, les dangers anticipés sont d'un tout autre ordre. La solitude, par exemple, est souvent perçue comme un problème insurmontable. Par conséquent, peu importent votre âge et votre condition, si vous vous sentez submergé par cette émotion, soyez attentif à votre langage intérieur et confrontez par écrit vos idées à ce sujet. Pour y parvenir, répondez à ces questions:

1. De quoi ai-je peur?

   _____

   _____

2. Ce danger existe-t-il vraiment?

   _____

   _____

3. Est-il aussi grand que je l'imagine?

   _____

   _____

4. Si jamais ce dont j'ai peur se produisait, qu'est-ce que je pourrais faire?

   _____

   _____

5. Présumons, dans le pire des cas, que je ne puisse rien y faire, les conséquences anticipées seraient-elles terribles ou plus ou moins désagréables?

_____

_____

6. Ai-je déjà vécu des situations semblables à celle-ci? Par exemple, mon conjoint s'est-il déjà absenté pour une période plus ou moins longue (hospitalisation, voyage, etc.)?

_____

_____

7. Comment ai-je vécu cette expérience, et en ai-je tiré une leçon?

_____

_____

8. Si j'avais vraiment besoin d'aide, où pourrais-je la trouver?

_____

_____

Conservez vos réponses et référez-vous-y fréquemment. Vous réaliserez peut-être que vous transformez certains dangers potentiels en certitudes, et vous prendrez conscience également de votre capacité d'affronter la plupart d'entre eux.

Il est possible de traverser un deuil avec un niveau d'anxiété modéré à condition toutefois de faire des efforts.

La tristesse

Il va sans dire: certaines situations s'avèrent propices à la tristesse. C'est précisément le lot de la plupart des gens lors du décès d'un des leurs. La tristesse survient souvent en raison d'un désir insatisfait. Par exemple, si je souhaite qu'une personne aimée demeure longtemps à mes côtés et qu'elle décède prématurément, je ressentirai cette émotion. Selon mon interprétation de cette frustration, ma tristesse sera plus ou moins intense. Par exemple, si je me dis: «*Comme c'est dommage qu'elle soit décédée, nous étions si heureux ensemble*», j'en serai frustré bien sûr, mais mes sentiments de tristesse seront alors tempérés. Par contre, si je me répète fréquemment: «*C'est affreux, c'est épouvantable, je ne pourrai pas passer au travers de cette épreuve. Jamais plus je ne serai heureux.*» À ce moment, ma tristesse sera amplifiée et je serai par conséquent fort stressé.

Inutile de chercher très loin, car la tristesse, à l'instar des autres émotions, est le fruit de notre pensée, elle y prend naissance. En l'occurrence, elle peut se traduire à peu près comme suit: «Ce qui arrive est mauvais pour moi». C'est donc essentiellement en posant des gestes concrets que nous parviendrons à changer cette pensée de façon graduelle. Malgré l'absence de l'être cher, il sera souhaitable de se prouver à soi-même qu'il est encore possible de jouir des petites choses agréables de la vie. Ainsi, fréquenter des amis, des parents, s'offrir certains loisirs, découvrir ses champs d'intérêt, voilà des moyens bien concrets de constater, peu à peu, qu'un bonheur relatif se trouve toujours à portée de la main. Malheureusement, il arrive que certaines personnes vivent un deuil, hantées par la culpabilité; elles trouvent ainsi déplacé de se distraire et de profiter de la vie. Pourtant, c'est en pratiquant sans remords de telles activités qu'elles retrouveront leur équilibre.

Chose certaine, il faut vivre son deuil si on ne veut pas se retrouver un jour ou l'autre aux prises avec des symptômes de maladies psychosomatiques. Mais de se distraire et de se faire plaisir, cela n'empêche pas de parler du disparu, de le pleurer à l'occasion, et même d'exprimer sa souffrance intérieure par l'écriture ou autrement.

Toutefois, quant à la difficulté de se reprendre en main, il est important de ne pas se décourager. Certaines blessures se cicatrisent lentement, surtout si on pleure le décès d'un enfant ou d'un jeune adulte. Mais, comme l'affirment certaines personnes qui ont traversé une telle épreuve, dès que les sentiments de culpabilité et d'anxiété se dissipent, on avance plus vite sur le chemin de l'acceptation, tout comme on apprend à vivre avec ce vide.

Pour terminer, ajoutons qu'il n'est jamais prématuré de se préparer à accepter la mort de ceux qu'on aime. Comme le dit Elisabeth Kübler Ross: «Les concepts au sujet de la mort ne suffisent pas. Il faut dépasser les mots et s'impliquer dans les sentiments que ces mots provoquent en vous. En lisant, il importe de prendre conscience des émotions que ces textes provoqueront chez vous et de les examiner.[1]»

Voilà pourquoi nous vous invitons à faire cette réflexion, en utilisant l'espace ci-dessous.

Le divorce et la séparation

Comme on le sait, la séparation ou le divorce suppose de nombreux changements auxquels les deux conjoints auront à s'adapter. C'est ce qui explique d'ailleurs le haut taux de stress qu'on leur attribue, soit entre 63 et 73 points. Toutefois, quand les procédures se déroulent par voie de conciliation, le stress est évidemment moins intense que s'il est marqué d'hostilité. Nous en concluons donc que ce chiffre est approximatif.

Nombre de personnes possédant une expertise dans ce domaine, n'hésitent pas à comparer le divorce au décès d'un être cher. Les étapes à franchir pour se remettre d'une telle expérience semblent être les mêmes dans les deux cas. Les émotions sont également similaires: anxiété, colère, culpabilité, dévalorisation personnelle et tristesse.

En dépit du haut degré de stress lié au divorce, il n'en demeure pas moins que si un couple ne s'entend plus – après des démarches infructueuses auprès de conseillers matrimoniaux – si la situation ne s'améliore pas, on peut considérer le divorce comme la meilleure solution à envisager. Car, ne l'oublions pas, une relation conflictuelle risque de créer un stress psychologique parfois plus intense que le divorce.

---

1. Kubler-Ross, Elizabeth. *La mort, dernière étape de la croissance*, Éditions Québec/Amérique, Montréal, 1977.

De plus, si nous nous référons à nouveau à l'échelle du stress, nous constaterons que la multiplication des disputes conjugales entraîne une dose de stress de 35 points. Présumons alors que la cause sous-jacente de la détérioration de la situation est une incompatibilité de caractère ou une divergence majeure au niveau des valeurs, et on comprend alors que la vie familiale se transforme parfois en champ de bataille. Le stress devient donc constant et répétitif, ce qui conduit invariablement à un appauvrissement du capital d'adaptation de l'un et l'autre des conjoints.

Vis-à-vis une telle situation, si on opte pour le divorce, demandons-nous maintenant s'il est possible de le faire d'une façon sereine, mûre, et sans trop d'hostilité ?

Pour répondre à cette question, disons que certaines personnes y parviennent car elles ont réussi à surmonter les peurs associées à leur rupture. Après avoir examiné les nombreux dangers dont elles se sentaient menacées, elles ont pris conscience de leur capacité de faire face adéquatement à la plupart d'entre eux. Car, il faut bien le reconnaître, la colère ne fait que masquer d'autres émotions plus profondément enfouies, surtout l'anxiété, mais également la culpabilité, parfois la jalousie, et presque toujours la dévalorisation personnelle. Si on ne s'attaque pas d'abord aux idées irréalistes qui causent ces émotions, la colère perdurera.

Par conséquent, si les procédures de divorce ne sont pas encore enclenchées et qu'on a la perspicacité de voir venir le choc, il est possible de s'y préparer en travaillant sur ses idées irréalistes.

Par contre, quand des démarches légales particulièrement fastidieuses sont déjà engagées, il ne reste plus beaucoup d'énergie pour analyser ses pensées, d'où le danger de voir s'envenimer la situation.

Voilà pourquoi, vis-à-vis une hostilité marquée et exprimée par surcroît en présence des enfants, il est bon de recourir à une aide extérieure. Car, ne l'oublions pas, un enfant, témoin des disputes violentes de ses parents, devient souvent une victime innocente. Et, la plupart du temps, il en porte les séquelles pendant longtemps.

En vérité, personne ne peut *causer* d'émotions à autrui et *nos pensées* en sont les seules responsables. Mais c'est faire preuve d'irréalisme que d'offrir à un enfant *l'occasion* de se troubler émotivement, sachant à quel point son équilibre psychologique est fragile, car il est souvent enclin à se sentir responsable du divorce de ses parents.

Quand on ne parvient pas à contrôler ses émotions, il peut donc être utile de rechercher un appui moral auprès de groupes d'entraide ou même d'un psychothérapeute. Quant à la médiation familiale, comme elle n'a pas force de loi dans notre province, on ne peut qu'encourager les époux à s'en prévaloir.

Yves Ménard, président du Groupe d'entraide aux pères et de soutien à l'enfant, nous explique, dans un article paru dans *La Presse*, les avantages de cette démarche: «En médiation familiale, on prend le temps, en plusieurs séances, d'expliquer aux parents les choix qui sont à leur portée et les réactions «normales» des principaux acteurs du divorce. Le fait de constater que la médiation tente de favoriser une entente où il n'y aura pas de perdant, aide à créer un véritable climat de coopération et de respect entre les parents. Les principaux bénéficiaires sont les trois acteurs du divorce, les enfants, la mère et le père.[1]»

Réflexions

Même si votre couple est en santé, nous vous suggérons d'examiner attentivement les émotions éprouvées par rapport à nos observations sur ce sujet.

D'autre part, si des tensions se font au contraire sentir au sein de votre relation, réfléchissez aux solutions susceptibles de vous éviter le divorce.

Enfin, si vous vous êtes séparé ou divorcé récemment, ou si vous envisagez le faire bientôt, demandez-vous ce que vous pouvez faire pour amoindrir le stress résultant de cette expérience.

Quelle que soit donc votre situation matrimoniale, nous vous invitons à écrire vos réflexions dans l'espace prévu à la page suivante.

---

1. Ménard, Yves. *Qu'en est-il des droits des enfants?* La Presse, le 13 avril 1997.

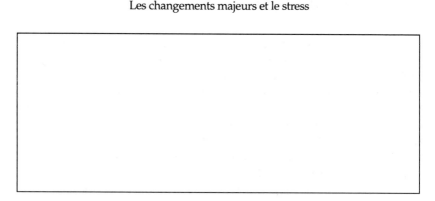

Évolution de la société

En somme, les changements profonds qui perturbent actuellement notre société, exigent que chacun accélère son rythme d'adaptation, s'il ne veut pas subir un stress continu, lui occasionnant des problèmes de santé mentale ou psychosomatiques.

Au cours des dernières années, la situation économique a obligé diverses entreprises à se restructurer et, par le fait même, à licencier de nombreux travailleurs, qui se sont retrouvés au chômage. D'autres ont dû prendre une retraite prématurée, car ils avaient atteint un âge où il est difficile de se replacer.

Pour bon nombre de jeunes qui arrivent sur le marché du travail avec un C.V. bourré de diplômes, la situation n'est pas plus facile, car il leur est impossible de se trouver un boulot connexe à leur formation et correspondant à leurs aspirations.

En se référant à l'échelle du stress des docteurs Holmes et Rahe, il nous faut reconnaître que ces bouleversements majeurs ne sont pas particulièrement propices à la détente. Toutefois, il est important de noter que le niveau de stress enregistré lors de tels événements, dépend largement de la réaction émotionnelle de chacun. Ainsi, l'anxiété, la colère, la culpabilité et la dévalorisation sont des émotions qui l'amplifient. D'où l'importance de garder son calme le plus possible si on veut conserver l'énergie nécessaire à une prise de décision éclairée quant à son avenir. Certains parviennent d'ailleurs à contrôler leurs émotions de cette façon. Plus encore, ils en viennent même à ne pas considérer ce qui leur arrive comme nécessairement malencontreux pour eux.

C'est le cas de ceux qui, parmi les plus audacieux, choisissent de se lancer en affaires, devenant ainsi leur propre patron.

151

De jour en jour, nous voyons en effet augmenter le nombre de ces travailleurs autonomes qui tentent de tirer leur épingle du jeu. D'autres, par contre, après avoir soupesé de façon réaliste leurs chances de se trouver un boulot intéressant, décident plutôt de suivre une formation comportant de meilleures perspectives d'avenir. Pour réduire leurs dépenses, ils acceptent de partager un logis avec d'autres personnes et ils se contentent temporairement de loisirs peu coûteux. On peut qualifier ces attitudes de «réactions harmonieuses au changement».

Il ne s'agit pas ici de banaliser le chômage et les emplois précaires ni d'accepter l'ostracisme dont est frappé un nombre croissant de gens dans notre société. Au contraire, nous avons plutôt avantage à dénoncer cette injustice sociale. Nous pourrons alors espérer que les groupes de pression parviendront à convaincre les gouvernements et les grandes entreprises de leurs responsabilités sociales en matière d'emploi.

Quoi qu'il advienne, l'être humain n'a pas le choix. Il doit nécessairement s'adapter à ces changements inévitables, sans quoi, c'est la détresse. Car certains économistes affirment même que, dans de nombreux secteurs, ce marasme pourrait sonner le glas de la rétribution du travail par le salaire.

La faillite

La crise économique n'a pas touché que les travailleurs. Plusieurs établissements commerciaux, notamment des P.M.E. jadis prospères, ont été acculés à la faillite. Leurs dirigeants s'étaient toujours crus à l'abri des revers financiers et se sont pourtant retrouvés pour la plupart fort perturbés.

Après avoir absorbé le choc initial de la faillite, ces derniers auront toutefois intérêt à se rappeler que ce n'est pas en se dévalorisant qu'ils réussiront à réduire leur stress. Leurs revenus ayant considérablement diminué, il leur serait plus utile, afin de contrer l'insécurité qui les habite, de s'employer à réviser et à équilibrer leur budget. Ils réaliseront que leurs «besoins» ne sont pas aussi grands qu'ils l'avaient cru jusqu'à ce jour.

Malgré les inconvénients subis par leurs revers financiers, ces chefs d'entreprise apprécieront peut-être même, avec le temps, de ne plus avoir à assumer ces lourdes responsabilités qui leur créaient tant de pression. Par contre, rien n'empêchera certains d'entre eux, encore jeunes et ambitieux, de tenter de relever de nouveaux défis. Pour eux, comme pour tous les autres d'ailleurs, entrevoir de nouvelles perspectives d'avenir, peut constituer un excellent antidote à la douleur et à la déception.

On peut comprendre qu'il ne soit jamais facile de faire le deuil de certaines choses auxquelles on tenait vraiment, mais considérons tout de même que ces pertes peuvent amener quelqu'un à changer ses valeurs et à ressentir par la suite une plus grande joie de vivre. Soulignons enfin qu'il existe certains stresseurs majeurs contre lesquels nous sommes impuissants. Il s'agit dans ces cas, d'en limiter les dégâts, en relativisant ce qui arrive et en affrontant la situation avec détermination.

Réflexion

Après avoir lu ce chapitre, demandez-vous comment vous réagiriez si vous perdiez votre emploi et quelles solutions envisageriez-vous? Utilisez l'espace ci-dessous pour répondre.

Conclusion

Nous voici maintenant au terme de notre réflexion. Tout au long de cette démarche, nous avons surtout mis l'accent sur les moyens à utiliser pour réduire le stress psychologique, lequel consomme une grande partie de notre énergie.

On peut en effet affirmer sans crainte de se tromper que les émotions désagréables vécues de façon intense et prolongée, épuisent tout autant quelqu'un que les excès de travail ou les frustrations quotidiennes.

Maintenant que vous avez appris à déterminer vos pensées, vos émotions désagréables et vos comportements inadéquats qui s'ensuivent, considérez avoir heureusement franchi le premier pas pour diminuer ce genre de stress.

Toutefois, rappelez-vous ceci : vous ne pouvez envisager une vie totalement exempte de tension. Sans activité stimulante, l'ennui devient alors un facteur de stress tout aussi dommageable que le surmenage. Le bonheur se retrouve plutôt dans l'équilibre.

Je suis bien sûr consciente que la lecture de ce volume n'aura pas changé votre vie, j'ose tout de même espérer vous avoir permis de constater que, vis-à-vis des échecs, des pertes ou des rejets dont vous pourriez être victime, vous aurez toujours le choix de ressentir des émotions appropriées de tristesse et de regret, ou d'opter plutôt pour des sentiments stressants d'anxiété, de colère, de culpabilité et de dévalorisation de soi. Voilà où se situe votre véritable pouvoir.

Je souhaite aussi que ce bouquin ne soit pas un simple ajout aux autres écrits sur le stress que vous avez déjà parcourus, mais plutôt un outil de travail auquel vous référerez fréquemment. De plus, pour vous aider à poursuivre votre recherche d'un équilibre, nous annexons quelques exemples de confrontations, susceptibles d'améliorer votre compréhension de cette technique.

Nous y joignons aussi le «test d'évaluation de votre niveau de stress» proposé antérieurement au chapitre I. Libre à vous de l'utiliser ou non, mais rappelez-vous que dans quelques mois, il pourrait s'avérer un indicateur intéressant de votre progression vers le mieux-être.

ANNEXE

Confrontation

A. **Événement:** Occasion de vivre des émotions désagréables qui me conduiront par la suite à des gestes inappropriés.

A. **Exemple:** La vendeuse insiste pour me vendre des souliers dans lesquels je suis inconfortable.

B. **Émotions stressantes** que je ressens: anxiété, culpabilité.

C. **Comportement ou geste inapproprié** que je voudrais modifier: J'achète des souliers que je n'aime pas.

D. **Idées irréalistes**	E. **Procès des idées irréalistes**	F. **Idées réalistes**
1) Ça fait dix paires que j'essaie; elle va me trouver difficile si je n'en achète aucune.	1) Qu'est-ce que ça peut changer si elle me trouve difficile?	1) Je n'ai pas besoin de son approbation. Tant pis si elle me critique.
2) Je devrais être capable de me décider rapidement.	2) Quelle loi affirme que je devrais me décider rapidement?	2) Aucune loi ne m'y oblige.

G. **Nouvelles émotions** que j'ai vécues après avoir modifié mes idées: calme

H. **Nouveau comportement:** Je remercie la vendeuse et, malgré son insistance, je quitte le magasin.

A. **Événement:** Mon patron me souligne certaines erreurs.

B. **Émotions stressantes:**
Culpabilité, dévalorisation, anxiété

C. **Comportement ou geste inapproprié** que je voudrais modifier: je deviens stressé et je fais encore plus d'erreurs.

D. **Idées irréalistes**	E. **Procès des idées irréalistes**	F. **Idées réalistes**
1) Je ne devrais pas faire d'erreurs.	1) Qui dit ça?	1) Tout être humain peut se tromper.
2) Je suis stupide.	2) Quand devient-on stupide, après 1, 2 ou 3 erreurs?	2) Je peux faire beaucoup de stupidités, mais je ne deviendrai jamais stupide. Je ne serai toujours qu'un être humain.
3) Je vais sûrement perdre mon emploi.	3) Sur quoi est-ce que je me base pour dire ça?	3) Ce serait surprenant que quelques erreurs me coûtent mon emploi. Mais si ça se produit trop souvent, c'est possible que je sois congédié. J'ai donc intérêt à porter attention à ce que je fais.

G. **Nouvelles émotions** que j'ai vécues après avoir changé mes idées: un peu inquiet, mais moins stressé.

H. **Nouveau comportement:** Je prends le temps d'analyser mes erreurs.

Questions à employer pour faire le procès de ses idées[1]

1. Où est la preuve de ce que je dis?
2. Sur quoi est-ce que je me base pour dire ça?
3. Cela est-il vrai?
4. Pourquoi pas?
5. Pourquoi en serait-il ainsi?
6. De quelle manière?
7. Pourquoi faut-il qu'il en soit ainsi?
8. Y a-t-il une loi qui dit ça?
9. Pourquoi?
10. Le faut-il vraiment?
11. En quoi cela m'affecte-t-il?
12. Quel effet cela produirait-il?
13. En quoi cela est-il horrible, affreux, impossible?
14. Pourquoi est-ce que je dois?
15. Pourquoi est-ce que je ne dois pas?
16. Qu'arriverait-il si...?
17. Et si cela arrivait?
18. Qu'est-ce qui pourrait m'arriver de pire?
19. Et après?
20. Est-ce que je pourrais encore connaître quelque bonheur?
21. Quel avantage aurais-je à...?
22. Quels seraient les désavantages pour moi?
23. Quelles sont les possibilités que cela arrive?
24. Le risque est-il grand?
25. Comment ma valeur pourrait-elle diminuer?

---

1. Auger, Lucien. *La démarche émotivo-rationnelle en psychothérapie et relation d'aide*, Montréal: Les Éditions Ville-Marie, 1986.

Test: **Consigne:**

Après chaque question, encerclez le chiffre qui correspond le mieux à ce que vous vivez.

1) Jamais ou très rarement
2) Parfois
3) Souvent ou assez souvent
4) Très fréquemment

1. Perdez-vous patience rapidement?	1	2	3	4
2. Vous faites-vous du souci?	1	2	3	4
3. Vous retenez-vous d'exploser alors que vous bouillez à l'intérieur?	1	2	3	4
4. Vous sentez-vous coupable à propos de certains de vos agissements présents ou passés?	1	2	3	4
5. Manquez-vous de confiance en vous?	1	2	3	4
6. Êtes-vous dans un domaine où vous devez être performant?	1	2	3	4
7. Cherchez-vous à être le meilleur soit au travail, dans les activités de loisirs, dans les études, etc.?	1	2	3	4
8. Manquez-vous de collaboration pour l'exécution de certaines tâches, vous sentez-vous débordé?	1	2	3	4
9. Êtes-vous intolérant envers les autres ou envers vous?	1	2	3	4
10. Avez-vous des problèmes financiers?	1	2	3	4
11. Vous arrive-t-il de croire que vous ne vous en sortirez jamais?	1	2	3	4
12. Vous considérez-vous moins valable, moins bon que les autres?	1	2	3	4
13. Vous arrive-t-il de manquer de travail?	1	2	3	4
14. Hésitez-vous à vous confier à quelqu'un?	1	2	3	4
15. Êtes-vous soupçonneux?	1	2	3	4
16. Vous sentez-vous fébrile, agité?	1	2	3	4
17. Avez-vous l'impression de courir du matin au soir?	1	2	3	4
18. Votre langage est-il agressif (donner des ordres, blasphémer, crier, serrer les dents)?	1	2	3	4
19. Vous arrive-t-il de trouver votre travail ennuyeux, peu stimulant?	1	2	3	4
20. Avez-vous de la difficulté à prendre des décisions?	1	2	3	4
21. Perdez-vous rapidement votre enthousiasme?	1	2	3	4

22. Avez-vous l'impression de ne pas vivre comme
vous l'aviez rêvé?   1   2   3   4

23. Craignez-vous pour votre santé ou pour celle
d'une personne qui vous est chère?   1   2   3   4

24. Vous sentez-vous contraint de faire des choses
qui vous déplaisent?   1   2   3   4

25. Êtes-vous insatisfait de votre apparence physique?
À vos yeux, êtes-vous trop gros, trop maigre,
trop grand, trop petit?   1   2   3   4

26. Abuse-t-on de votre disponibilité pour les autres?   1   2   3   4

27. Vous arrive-t-il d'être triste, de pleurer?   1   2   3   4

28. Éprouvez-vous des frustrations dans votre vie
affective (avec les enfants, les parents, les frères
et les sœurs)?   1   2   3   4

29. Éprouvez-vous des difficultés dans votre vie
amoureuse?   1   2   3   4

30. Ruminez-vous vos problèmes, vos échecs?   1   2   3   4

31. Avez-vous de la difficulté à vous concentrer sur
une seule tâche à la fois?   1   2   3   4

32. Négligez-vous de voir vos amis parce que vous
avez trop de travail?   1   2   3   4

33. Avez-vous mis les loisirs de côté, faute de temps
ou d'argent?   1   2   3   4

34. Avez-vous des difficultés sexuelles?   1   2   3   4

35. Avez-vous des ennuis de santé tels des maux
de tête, un mauvais fonctionnement du système
digestif, des palpitations, une poussée inhabituelle
d'eczéma, de psoriasis ou une autre maladie
de la peau, des courbatures, des douleurs
au cou ou au dos, une fatigue excessive?   1   2   3   4

36. Avez-vous des crises de panique?   1   2   3   4

37. Est-il difficile pour vous de décompresser?   1   2   3   4

38. Prenez-vous beaucoup de temps à vous endormir
ou avez-vous un sommeil fragile?   1   2   3   4

39. Êtes-vous sous pression au travail?   1   2   3   4

40. Négligez-vous de prendre des vacances?   1   2   3   4

41. Avez-vous des trous de mémoire?   1   2   3   4

42. Travaillez-vous dans un environnement bruyant?   1   2   3   4

43. Refoulez-vous vos émotions?   1   2   3   4

44. Mangez-vous trop ou mangez-vous mal?   1   2   3   4

45. Buvez-vous beaucoup de café, de thé, de boissons
    gazeuses, d'alcool?   1   2   3   4
46. Avez-vous des tics nerveux?   1   2   3   4
47. Prenez-vous des tranquillisants?   1   2   3   4
48. Négligez-vous de faire de l'exercice physique?   1   2   3   4
49. Sursautez-vous au moindre bruit?   1   2   3   4
50. Cherchez-vous à contrôler soit votre famille,
    vos amis ou toute autre personne de votre
    entourage?   1   2   3   4

Résultats

Additionnez les chiffres encerclés. Plus vous vous rappro-chez de 200, plus votre niveau de stress est élevé.

Bibliographie

AUGER, Lucien. *Changer: Une psychothérapie à la maison*, Montréal, Éditions du C.I.M., 1984.

AUGER, Lucien.*Communication et épanouissement personnel*, Montréal, Éditions de l'Homme, 1972.

AUGER, Lucien.*La démarche émotivo-rationnelle en psychothérapie et relation d'aide*, Montréal, Les Éditions Ville-Marie, 1986.

AUGER, Lucien.*S'aider soi-même*, Montréal, Éditions de l'Homme, 1974.

AUGER, Lucien.*Vivre avec sa tête ou vivre avec son cœur*, Montréal, Éditions de l'Homme, 1979.

AUGER, Lucien.*21 jours pour apprendre à gérer votre stress*, Montréal, Éditions du C.I.M., 1995.

BENSABAT, Dr Soly. *Le stress c'est la vie!*, Paris, France Loisirs, 1989.

BLISS, Edwin C. *L'efficacité dans le travail*, Saint-Hubert, Les éditions Un monde différent ltée, 1981.

ELLIS, Albert. *Enfin! Comment réussir à ne plus vous en faire à propos de tout et de rien*, Montréal, Les Éditions Quebecor, 1989

KÜBLER ROSS, Dr Elisabeth. *Apprendre à mourir, apprendre à vivre*, Éditions Le Courrier du Livre, 1994

KÜBLER ROSS, Dr Elisabeth. *La mort, dernière étape de croissance*, Montréal, Québec/Amérique, 1977

KÜBLER ROSS, Dr Elisabeth. *Questions et réponses sur les derniers instants de la vie*, Éditions Fides, 1974.

Langevin Hogue, Lise. *Communiquer: Un art qui s'apprend*, Saint-Hubert, Les éditions Un monde différent ltée,1986.

Langevin Hogue, Lise. *Mieux communiquer et s'affirmer*, Montréal, Éditions du C.I.M., 1987 (cahier d'exercices)

Lamontagne, Dr Yves. *Vivre avec son anxiété*, Montréal, La Presse, 1979.

Morgan, Clifford T. *Introduction à la psychologie*, Montréal, Mc Saw-Hill, Éditeurs, 1976

Selye, Dr Hans. *Stress sans détresse*, Montréal, Éditions La Presse, 1974.

CHEZ LE MÊME ÉDITEUR

Dans la même collection:

1001 maximes de motivation, Sang H. Kim
Accomplissez des miracles, Napoleon Hill
Attitude d'un gagnant, Denis Waitley
Attitude fait toute la différence (L'), Dutch Boling
Comment se faire des amis facilement, C.H. Teear
Comment se fixer des buts et les atteindre, Jack E. Addington
De la part d'un ami, Anthony Robbins
Développez habilement vos relations humaines, Leslie T. Giblin
Développez votre confiance et votre puissance avec les gens,
     Leslie T. Giblin
Développez votre leadership, John C. Maxwell
Devenez la personne que vous rêvez d'être, Robert H. Schuller
Devenir maître motivateur, Mark Victor Hansen et Joe Batten
Dites oui à votre potentiel, Skip Ross
En route vers le succès, Rosaire Desrosby
Enthousiasme fait la différence (L'), Norman V. Peale
Esprit qui anime les gagnants (L'), Art Garner
Fonceur, (Le), Peter B. Kyne
Fortune en dormant (La), Ben Sweetland
Homme est le reflet de ses pensées (L'), James Allen
Homme le plus riche de Babylone (L'), George S. Clason
Il faut le croire pour le voir, Wayne Dyer
Magie de croire (La), Claude M. Bristol
Magie de penser succès (La), David J. Schwartz
Magie de s'autodiriger (La), David J. Schwartz
Magie de voir grand (La), David J. Schwartz
Mémorandum de Dieu (Le), Og Mandino
Osez Gagner, Jack Canfield et Mark Victor Hansen
Pensée positive (La), Norman V. Peale
Pensez en gagnant! Walter Doyle Staples

Pensez possibilités! Robert H. Schuller
Performance maximum, Zig Ziglar
Personnalité plus, Florence Littauer
Plus grand miracle du monde (Le), Og Mandino
Plus grand mystère du monde (Le), Og Mandino
Plus grand secret du monde (Le), Og Mandino
Plus grand succès du monde (Le), Og Mandino
Plus grand vendeur du monde (Le) partie 2, suite et fin,
　　Og Mandino
Pourquoi se contenter de la moyenne quand on peut exceller?,
　　John L. Mason
Pouvoir de la pensée positive, Eric Fellman
Puissance d'une vision (La), Kevin W. McCarthy
Progresser à pas de géant, Anthony Robbins
Provoquez le leadership, John C. Maxwell
Quant on veut, on peut! Norman V. Peale
Relations humaines, secret de la réussite (Les), Elmer Wheeler
Rendez-vous au sommet, Zig Ziglar
Retour du chiffonnier (Le), Og Mandino
S'aimer soi-même, Robert H. Schuller
Secrets de la confiance en soi (Les), Robert Anthony
Secrets d'une vie magique, Pat Williams
Sports versus Affaires, Don Shula et Ken Blanchard
Succès d'après la méthode de Glenn Bland (Le), Glenn Bland
Tout est possible, Robert H. Schuller
Université du succès (L'), tomes I, II, III, Og Mandino
Vie est magnifique (La), Charlie T. Jones
Votre droit absolu à la richesse, Joseph Murphy
Votre force intérieure T.N.T., Claude M. Bristol et
　　Harold Sherman
Vous êtes unique, ne devenez pas une copie! John L. Mason

En vente chez votre libraire ou à la maison d'édition
Prix sujets à changement sans préavis

Si vous désirez obtenir le catalogue de nos parutions,
il vous suffit de nous écrire à l'adresse suivante:
Les éditions Un monde différent ltée
3925, Grande-Allée
Saint-Hubert (Québec), Canada J4T 2V8
ou de composer le (514) 656-2660

☐ Oui, faites-moi parvenir le catalogue de vos publications et les informations sur vos nouveautés

☐ Non, je ne désire pas recevoir votre catalogue mais seulement les informations sur vos nouveautés

OFFRE SPÉCIALE

OFFRE SPÉCIALE

OFFRE D'UN CATALOGUE GRATUIT

Nom: _____

Profession: _____

Compagnie: _____

Adresse: _____

Ville: _____ Province: _____

Code postal: _____

Téléphone: (_____)_____ Télécopieur: (_____)_____

DÉCOUPEZ ET POSTEZ À:

Pour le Canada: Les éditions Un monde différent ltée
3925, Grande-Allée, Saint-Hubert,
Québec, Canada   J4T 2V8
Tél.: (514) 656-2660
Téléc.: (514) 445-9098

Pour la France: Chapitre Communication
20, rue du Moulin
77700 Coupvray (France)
Tél.: (33) 1 64 63 58 06
Téléc.: (33) 1 60 42 20 02

AGMV
MARQUIS
Québec, Canada
1998